ERNEST JONES

Ernest Jones gyda Freud
Ernest Jones with Freud

T. G. Davies

ERNEST JONES

1879-1958

GWASG PRIFYSGOL CYMRU
UNIVERSITY OF WALES PRESS
1979

British Library Cataloguing in Publication Data

Davies, Thomas Gruffydd
Ernest Jones, 1879–1958.
1. Jones, Ernest, b.1879 2. Psychoanalysts – Wales – Biography
150'.19'520924 BF1027.J63

ISBN 0–7083–0719–1

ARGRAFFWYR CSP CAERDYDD
CSP PRINTING OF CARDIFF

RHAGAIR

Sylfaen i drafodaeth lawnach ar fywyd a gwaith y Dr. Ernest Jones yw'r llyfr hwn, ac rwy'n dra diolchgar i Fwrdd Gwasg Prifysgol Cymru am gytuno i'w gyhoeddi yn ystod blwyddyn dathlu geni canmlwyddiant Dr. Jones.

I'm cyfaill y Dr. S. C. Macmillan y mae'r clod am drefnu y bydd y canmlwyddiant yn cael ei ddathlu mewn ffordd deilwng yn ardal enedigol Ernest Jones, ac iddo ef y cyflwynir y gyfrol hon fel arwydd o'm diolch. Er mai o ddeunydd ysgrifenedig y cafwyd bron yr holl wybodaeth a gynhwysir yn y llyfr, fe roes Mrs. Katherine Jones, Miss Anna Freud, Dr. W. H. Gillespie, Dr. Melitta Schmideberg a Mr. Aled Vaughan yn hael o'u hamser i mi, ac y mae'n sicr fod y darlun a gefais o Ernest Jones yn un cliriach oherwydd hynny. Bu'r sgwrs a gefais gan Mrs. Kitty Idwal Jones am Morfydd Llwyn Owen o gymorth mawr i mi. Diolchaf i'm gwraig am ei chymorth wrth baratoi'r cyfieithiad Saesneg, i Mr. Geoffrey Orrin o Lyfrgell Coleg y Brifysgol, Abertawe, am lawer cymwynas, i Mrs. N. Allen am yr hawl i ddefnyddio rhai o'i lluniau o'i chefnder, i Mrs. Jane Jones am deipio'r llawysgrifau yn y ddwy iaith, ac i Mr. John Rhys, M.A., am ei gymorth wrth lywio'r llyfr trwy'r Wasg.

Rhaid cydnabod y caredigrwydd a ddangoswyd imi yn y Sefydliad Seicdreiddiol yn Llundain (wrth i mi chwilio papurau Dr. Jones yno), yn Llyfrgell Genedlaethol Cymru, ac yn Archifdy Sir Forgannwg, a diolchaf am ganiatâd i ddyfynnu o'r deunydd a gefais yno. Rhoes yr awdurdodau yn Ysbyty'r Frenhines Elisabeth, Llundain, ganiatâd imi ddyfynnu o'u cofnodion.

Yn olaf, y mae fy nyled i'r Dr. Prys Morgan, o Adran Hanes Coleg y Brifysgol, Abertawe, yn fawr am yr awgrymiadau gwerthfawr a roes wedi iddo ddarllen y llawysgrif wreiddiol—ond myfi biau pob *lapsus calami* a erys.

Ysbyty Cefn Coed,
Abertawe

T. G. DAVIES

PREFACE

This book forms the basis of a more detailed discussion of the life and work of Dr. Ernest Jones, and I am truly grateful to the University of Wales Press Board for publishing it during the year in which the centenary of Dr. Jones's birth is being commemorated.

It is my colleague, Dr. S. C. Macmillan, who has ensured that the centenary will be celebrated in a worthy manner in the locality of Dr. Jones's birth, and this volume is dedicated to him as a measure of my thanks. Although virtually all the information in the book was obtained from written sources, Mrs. Katherine Jones, Miss Anna Freud, Dr. W. H. Gillespie, Dr. Melitta Schmideberg and Mr. Aled Vaughan gave generously of their time to me, and as a result the picture which I got of Ernest Jones was a clearer one. Similarly, Mrs. Kitty Idwal Jones was able to help me greatly during our discussion about Morfydd Llwyn Owen. I am grateful to my wife for her help with the English translation, to Mr. Geoffrey Orrin of the Library at University College, Swansea, for many favours, to Mrs. N. Allen for permission to use some of her photographs of her cousin, to Mrs. Jane Jones for typing both manuscripts, and to Mr. John Rhys, M.A., for his help in seeing the book through the Press.

The kindness shown to me in the Institute of Psychoanalysis, London (when I searched Dr. Jones's papers there), in the National Library of Wales, and in the Glamorgan Archivist's Office, must be acknowledged, and I am grateful for permission to quote from the material which I obtained there. The Authorities at the Queen Elizabeth Hospital for Sick Children, London, have kindly allowed me to quote from their records.

Lastly, my debt to Dr. Prys Morgan, of the History Department at University College, Swansea, is great for the valuable suggestions which he made after reading the original manuscript—but every *lapsus calami* that remains is mine.

Cefn Coed Hospital,
Swansea

T. G. DAVIES

Ernest Jones

1879-1958

I

Ni chafodd y claf ei feddwl fawr iawn o sylw gan y rhan fwyaf o feddygon tan yn gymharol ddiweddar. Bu'r prinder adnoddau meddygol a fodolai hyd at y ganrif hon yn rhannol gyfrifol am hyn. Hawliai'r afiechydon corfforol, yn enwedig y doluriau heintus a ysgubai'r wlad, fwy o ddarpariaethau ar gyfer eu trin nag oedd ar gael. Ni fyddai tostrwydd meddwl yn debyg o beryglu bywyd yn yr un modd â hwy, ac felly, yr oedd llai o reswm dros fynd i'r afael â phroblemau seiciatregol o gofio maint y trafferthion a achoswyd gan broblemau meddygol eraill. Ni newidiodd Cymdeithas lawer ar ei hagwedd hithau hyd at y ddeunawfed ganrif, ac yn aml, y gorau y gellid ei ddisgwyl oddi wrthi hi oedd y byddai yn anwybyddu'r anffodusion hyn, oherwydd yn anaml y deuai lles yn sgil y 'driniaeth' a fyddai o fewn cyrraedd.

Erbyn y ddeunawfed ganrif, fe wnaed ymdrechion sylweddol at chwyldroi'r sefyllfa. Crewyd deddfau newydd a ddylai fod wedi amddiffyn hawliau'r cleifion hyn. Ysywaeth, ni welwyd fawr o'u heffaith am gyfnod maith wedi hynny. Bron yn ddieithriad trwy'r bedwaredd ganrif ar bymtheg, fe barhaodd yr arferiad o gadw cleifion seiciatregol yn gymysg â throseddwyr a thlodion mewn gwallgofdai, carchardai a thlotai. Yn aml, nid oedd unrhyw wir angen dros wneud hynny, ac ar y cyfan, ni wnaed ymgais at eu didoli yn ôl natur eu problemau, neu yn ôl eu hanghenion. Nid oedd modd cynnig triniaeth sylweddol iddynt, a chan amlaf, hap a damwain a benderfynai dynged cleifion unigol. Ond er lleied y

Ernest Jones

1879-1958

I

Until comparatively recently, the mentally ill got very little attention from the majority of doctors. The scarcity of medical resources which existed until this century accounted partly for this. Physical illnesses, especially the infectious diseases that swept through the countryside, demanded more provisions than were available. Psychiatric illness carries less risk to life, and therefore there would be less reason for attempting to solve the associated problems when the difficulties caused by other medical conditions are considered. Society did not alter its attitude greatly until the eighteenth century, and often, the best that could be expected was that it should ignore these unfortunates, as it was infrequently that any good would come from the 'treatment' afforded them.

By the eighteenth century, significant attempts were made to revolutionise the situation. New laws were passed which ought to have defended these patients' rights. Unfortunately, little of their effect was felt for a considerable time after that. Almost without exception throughout the nineteenth century, the practice of keeping psychiatric patients together with criminals and paupers in asylums, prisons and workhouses persisted. Frequently, this was not truly necessary, and on the whole, no attempt was made to segregate them according to the nature of their problems, or their needs. It was not possible to offer them any real treatment, and oftener than not, the fate of any single patient was determined by chance factors. But in spite of the few facilities available in institu-

cyfleusterau a gaed yn y sefydliadau hynny, nid oedd unrhyw ofal o gwbl i gleifion a drigai yn eu cartrefi eu hunain. Fel canlyniad, diystyriwyd yn llwyr lawer o'r rhai a ddioddefai o'r doluriau llai difrifol eu heffaith. Fe rwystrwyd bron pob cynnig at newid y sefyllfa gan ganrifoedd o ofergoeledd ac anwybodaeth am achosion a natur yr anhwylderau eu hunain. Golygai hyn na fyddai meddygon yn cael fawr ddim hyfforddiant ar bynciau seiciatregol. Gan hynny, ganrif yn ôl, nid oedd yr argoel lleiaf yn bod o'r newidiadau syfrdanol a oedd i ddigwydd ym myd seiciatreg yn ein hamserau ni.

* * * *

Fe ellir priodoli'r cyffroadau a ddaeth i ran byd Iechyd Meddwl yn yr ugeinfed ganrif i sawl achos. Yn eu plith, bu dylanwad gwaith Yr Athro Sigmund Freud yn anfesuradwy, heb sôn am yr effaith a gafodd ar y celfyddydau, ac yn enwedig ar lenyddiaeth. Gadawodd argraff ddigamsyniol ar ddatblygiad seiciatreg fodern, er bod tuedd i wrthod â chydnabod hyn wedi'i amlygu ei hun yn ddiweddar. Un o'r canlyniadau anuniongyrchol grymusaf a gafodd gwaith Freud oedd iddo lwyddo i hoelio sylw ar broblemau seiciatregol nas cyfrifwyd o unrhyw bwys cyn ei amser ef. Erbyn hyn, newidiodd Cymdeithas ei hagwedd, o leiaf i ryw raddau, tuag at dostrwydd meddwl. Y mae'n sicr fod i Freud le blaenllaw ymhlith y rhai a fu'n gyfrifol am hyn. Ers amser bellach, cafwyd gwared o drefn geidwadol y ganrif o'r blaen o drin afiechydon seiciatregol. Dibynnai hi ar gyfyngu cleifion mewn awyrgylch gaethiwus a oedd yn rhwystr pendant iddynt rhag gwella. Er bod triniaeth dros dro mewn ysbytai seiciatregol agored yn parhau i fod yn hanfodol bwysig, mwyach fe ellir trin y rhan fwyaf o'r rhai claf eu meddwl heb iddynt orfod ymadael â'u cartrefi. Ac er na chydnabyddir hyn yn gyffredinol, efallai na fyddai'n ormod awgrymu i waith Freud gael rhyw gymaint o ddylanwad ar y duedd hon i symud oddi wrth driniaeth warchodol at yr wyddor newydd o Seiciatreg Gymunedol, a rydd bwyslais ar drin cleifion yn eu cynefin.

Ond bu prif lafur bywyd Freud yn ymwneud â chreu'r gyfundrefn ddamcaniaethol a esgorodd ar y driniaeth a elwir yn seicdreiddiaeth. Ers canrifoedd, bu'n amlwg i rai athronwyr a meddylwyr fod rhan o fywyd meddyliol dyn y tu hwnt i'w reolaeth a'i ymwybyddiaeth ef ei hun. Ymhell cyn dyddiau Freud fe ddatblygwyd y syniad fod i'r meddwl dynol haenen 'isymwybodol' a ddylanwadai'n rymus ar fywyd a gweithredoedd ymwybodol yr unigolyn, ac mor gynnar â'r

tions of this kind, no care at all was available for patients who lived in their own homes. Consequently, many of those who suffered from the less severe forms of mental illness were ignored. Almost all attempts to alter the situation were obstructed by centuries of superstition and ignorance about the causes and nature of the disorders themselves. This meant that doctors had little tuition on psychiatric topics. Therefore, a century ago, there was not the slightest sign of the impressive changes that were to occur in psychiatry in our times.

* * * *

The stirring changes which have occurred in the world of Mental Health in the twentieth century can be attributed to several causes. Amongst them, the influence of Professor Sigmund Freud's work is immeasurable, apart from his influence on the arts, and especially on literature. He left an unmistakable impression on the development of modern psychiatry, although a tendency to refuse to acknowledge this has manifested itself in more recent times. One of the most dominant indirect effects of Freud's work was that he succeeded in drawing attention to psychiatric problems that were not considered to be of any importance before his time. By now, Society has changed its attitude, at least to some extent, towards mental illness. It is certain that Freud must have a prominent place amongst those responsible for these changes. The doctrinaire system of treating mental illness which was so characteristic of the last century and which relied on having to confine patients in a custodial atmosphere that hindered recovery, has long since been dispensed with. Although short-term in-patient treatment in open psychiatric hospitals is still essential and important, the majority of the mentally ill can now be treated without leaving their home environment. And although this is not generally recognised, it may not be too much to suggest that Freud's work had some influence on the trend away from custodial care to the new discipline of Community Psychiatry, which lays stress on treating patients in their own environment.

However, Freud devoted most of his life's work to creating the theoretical system from which was developed the form of treatment known as psychoanalysis. For centuries, it had been apparent to some philosophers that part of man's mental activity was beyond his own control and level of consciousness. Long before Freud's time the concept of an 'unconscious' level of mental activity, which strongly influenced men's lives and activities, was developed, and

ail ganrif wedi Crist, mynnodd y meddyg Groegaidd Galen fod grymusterau isymwybodol yn lliwio syniadau dyn am ei amgylchfyd. Tarddodd y wybodaeth gynharaf am natur prosesau isymwybodol o'r astudiaethau empirig ac athronyddol a wnaed mewn oesau cyn-arbrofol, ac ychwanegwyd at bwysigrwydd yr astudiaethau hynny gan gynhyrchion llenyddol amrywiol a bwysleisiai'r un egwyddorion. Y mae'n debyg mai am mai athronwyr a fyddai'n ymwneud fwyaf ag astudio gweithgareddau'r isymwybod yn y cyfnodau cynnar hynny, nad ystyriwyd fod i'r gwaith hwn lawer o arwyddocâd meddygol hyd at amser Sigmund Freud.

Er cymaint y diffyg gwrthrychedd a briodolir i'w waith gan genedlaethau diweddarach o seiciatregwyr a seicolegwyr, ni ellir dibrisio pwysigrwydd y dechneg newydd a ddyfeisiwyd ganddo. Yn fras, yr hyn a wnâi Freud wrth ei waith oedd crynhoi gwybodaeth fanwl glinigol am bersonoliaeth, sumptomau a chefndir cynnar ei gleifion. O'r wybodaeth a gasglodd, dyfeisiodd ddamcaniaeth a eglurai sut y datblygai'r bersonoliaeth ddynol a'r anhwylderau a effeithiai arni. Ni fyddai'n hawdd ceisio profi neu wrthbrofi yn uniongyrchol wirionedd ei ddamcaniaethau, ond credai ef fod modd trin llawer o ddoluriau meddyliol trwy'r archwilio hwn o'r isymwybod —a hynny, trwy siarad a holi a thrafod arwyddocâd yr hyn a ddeuai i gof y claf dros oriau lawer o sôn am ei hunan. Oddi ar y dyddiau hynny, newidiwyd llawer ar y pwyslais mewn gwaith ymchwil seiciatregol a seicolegol. Ni dderbynnir damcaniaethau Freud yn eu crynswth gan y rhan fwyaf o seiciatregwyr cyfoes. Beth bynnag am hynny, ni fydd byth mwyach fodd anwybyddu ôl ei waith wrth drafod datblygiad yr ymgais i ddeall natur tostrwydd meddwl.

* * * *

Yn rhannol am iddo roi llawer o sylw i faterion rhywiol, bu gwrthwynebiad ffyrnig i syniadau Freud ymhell ar ôl iddo eu cyhoeddi am y tro cyntaf. Cyn troad y ganrif, y mae'n bur debyg nad oedd Freud wedi sylweddoli maint y drwgdeimlad a'r ddrwgdybiaeth y byddai'n rhaid iddo eu hwynebu yn sgil ei waith ymchwil.

Ym 1898, wrth i Thomas Jones o Ffosfelen, ger Abertawe, fynd â'i fab pedair ar bymtheg oed, a oedd yn fyfyriwr meddygol ar y pryd, ar daith i'r Cyfandir, prin y gallent fod wedi sylweddoli mai un o'u cyd-ymwelwyr â'r ardal honno o'r Eidal y buont yn ymweld â hi fyddai Sigmund Freud. Y mae'r un mor sicr na wyddai Freud cyn agosed y bu ef ar yr amser hwnnw at y gŵr a ddaeth yn gofiann-

as early as the second century A.D., the Greek physician, Galen, maintained that unconscious factors were responsible for colouring man's view of his environment. The earliest knowledge concerning the nature of unconscious processes came from empirical and philosophical studies carried out in a pre-experimental era, and their importance was augmented by various literary works which emphasised the same principles. It seems that because the earliest work done in this field was by philosophers it was not considered to have a great deal of medical significance until Sigmund Freud's time.

In spite of the lack of objectivity attributed to him by later generations of psychiatrists and psychologists, the importance of the new technique devised by him cannot be minimised. Basically, what Freud did was to collect detailed clinical information about the personality, symptoms and early background of his patients. From this information, he devised a theory which is concerned with the development of the human personality and the disorders to which it is subject. It would not be easy directly to prove or disprove his theories, but he believed that it was possible to treat many mental illnesses through this searching of the unconscious by talking, questioning and discussing the significance of the information that came to light with many hours of exploration. Since then, there has been a considerable change of emphasis in research work in psychiatry and psychology. Freud's theories are no longer accepted in their entirety by the majority of contemporary psychiatrists. However, it will never again be possible to ignore the effects of his work in discussing the development of the attempt to understand the nature of mental illness.

* * * *

Partly because he laid great emphasis on sexual matters, Freud faced a great deal of opposition for a considerable time after his work was first published. Before the turn of the century, it seems likely that Freud had not realised the extent of the illfeeling and the suspicion which he would have to face as a result of his research work.

In 1898, when Thomas Jones of Gowerton, near Swansea, took his nineteen-year-old son, who was a medical student at the time, on a trip to the Continent, they could hardly have realised that one of their fellow-travellers to the part of Italy which they visited would be Sigmund Freud. It is equally certain that Freud did not

ydd iddo, ac yn anad neb yn brif ladmerydd i'w waith trwy'r byd Saesneg ei iaith. Fe rydd seicdreiddwyr bwyslais ar ddylanwad unigryw dyddiau cynnar wrth ffurfio personoliaeth, ac ni wnaeth Ernest Jones eithriad ohono'i hun yn y cyswllt hwn. Fe ddisgrifir Thomas Jones gan ei fab fel dyn deallus, diwyd, di-Gymraeg a seisnigaidd ei agwedd tuag at fywyd. Yr oedd o dras gwerinol, â'i wreiddiau yn Sir Forgannwg. Bu'n gweithio fel clerc mewn glofa, a llwyddodd i ennill lle i'w hun fel peiriannydd, ac yna fel cyfrifydd a rheolwr glofa. Wedi cyfnod fel ysgrifennydd cyffredinol i gwmni gwaith dur, fe orffennodd ei yrfa yn gyfarwyddwr i sawl cwmni diwydiannol. Y mae'n anodd esbonio paham na welir ei enw ar restri pleidleiswyr y plwyf am 1879 a 1883, oherwydd yr oedd yn ddyn cymharol gefnog a chanddo ddylanwad yn ei ardal ei hun. Yr oedd yn gynghorydd lleol ac yn is-gadeirydd bwrdd rheolwyr ysgol y pentref, a chefnogai'n frwd fudiadau addysgiadol lleol i weithwyr. Yr oedd yn rhyddfrydol ei dueddiadau gwleidyddol, a hyd at ganol oed dylanwadwyd arno'n gryf gan ei argyhoeddiadau crefyddol. (Bedyddiwyd Thomas Jones gan weinidog o'r un enw ag ef ei hunan. Yr oedd Y Parchedig Thomas Jones, Abertawe, yn dad i dri mab enwog, gan gynnwys y Prifathro Viriamu Jones, F.R.S., Prifathro Coleg y Brifysgol, Caerdydd, pan aeth Ernest yno fel myfyriwr). Thomas Jones a fu'n gyfrifol am feithrin diddordeb ei fab mewn pynciau gwyddonol, a hynny ar amser pan oedd cyfathrach agos rhyngddynt. Barnai'r mab mai oddi wrth deulu mam ei dad y cafodd ef ei ddeallusrwydd, er iddo gredu, fel y gellid disgwyl, fod dylanwad ei rieni arno yn drymach nag unrhyw elfennau etifeddol. Gyda threiglad amser, oerodd y berthynas rhyngddynt, a hynny am iddynt ill dau feddu ar bersonoliaeth gref a diŵyro a'i gwnâi hi'n anodd iddynt gytuno ar lawer achlysur.

Trwy ei aelodaeth eglwysig y cyfarfu Thomas Jones â'i wraig, Mary Ann Lewis. Hanoedd ei theulu hi o Sir Gaerfyrddin, ac fe gofiai ei mab amdani fel gwraig addfwyn ac anhunanol, os braidd yn snobyddlyd, a oedd yn uchel ei pharch yn y gymdogaeth leol am ei geirwiredd. Siaradai Gymraeg am i'w rhieni ei danfon am flwyddyn neu ddwy pan oedd yn blentyn i ffermdy mewn ardal anghysbell yn Sir Frycheiniog er mwyn iddi allu gloywi ei Chymraeg. (Dros ddeng mlynedd a thrigain yn ddiweddarach, pan gyflogodd ei mab athrawes i ddysgu Cymraeg i'w ferch ef, digwyddodd fod yr athrawes ei hun yn dod o'r un fferm). Parhaodd diddordeb Mary Ann Jones yn ei

know how close he came at that time to the man who later became his biographer and the principal expositor of his work throughout the English-speaking world. Psychoanalysts lay great emphasis on the unique influence which early development has on personality formation, and Ernest Jones made no exception of himself in this context. Thomas Jones is described by his son as an intelligent, industrious, non-Welsh-speaking and anglophilic Welshman, who originated from a working class Glamorgan family. He had worked as a clerk in a colliery, and succeeded in getting himself a place as an engineer, and then as an accountant and colliery manager. After a time as general secretary to a steel company, he ended his career as a director of several industrial concerns. It is difficult to explain why his name does not appear in the lists of voters for the parish for 1879 and 1883, as he was a man of some means who was influential in his own locality. He was a local councillor and was vice-chairman of the village school board, and a keen supporter of local educational movements for workers. Politically, he was a Liberal, and until middle age was greatly influenced by his religious convictions. (Thomas Jones was baptised by a minister of the same name as himself. The Reverend Thomas Jones of Swansea was the father of three famous sons, including Principal Viriamu Jones, F.R.S., the Principal of University College, Cardiff, when Ernest went there as a student). Thomas Jones was responsible for fostering his son's interest in scientific subjects at a time when they had a close relationship with each other. The son believed that it was from his paternal grandmother's branch of the family that he got his intelligence, although as might be expected, he held that his parents' influence on his development was stronger than that of any inherited factors. With time, the relationship between them became more distant because both father and son possessed strong, unyielding personalities which often made it difficult for them to agree.

It was through his church membership that Thomas Jones met his wife, Mary Ann Lewis. Her family originated from Carmarthenshire, and her son's memories of her were of a gentle and unselfish, if rather snobbish woman, who was greatly respected in their locality for her veracity. She spoke Welsh since her parents had sent her for a year or two during her childhood to a farm in a remote part of Breconshire so that she could improve on her knowledge of Welsh. (Over seventy years later, when her son employed a teacher to teach his daughter Welsh, it happened that the teacher herself came from the same farm). Mary Ann Jones's interest in religious affairs persisted for many years after her husband had

chrefydd am flynyddoedd lawer ar ôl i'w gŵr dorri ei gysylltiad â'r Eglwys. Credai hi mai trwy ailenedigaeth 'fewnol' y byddai cyflwr y byd yn mynd ar ei well, tra rhoddai ei gŵr fwy o bwyslais ar bwysigrwydd gwelliannau materol. Ni fu'r ffaith i'w mab droi yn anffyddiwr yn rhwystr iddo allu cyfaddef fod syniadau ei fam yn agosach i'w rai ef nag oedd syniadau ei dad yn hyn o beth. Er iddo feddwl am ei fam fel gwraig santaidd ei natur, nid oedd yn ystyried i'w dylanwad hi arno ef barhau i unrhyw raddau sylweddol ar ôl iddo gyrraedd wyth mlwydd oed. Fel seicdreiddiwr, credai fod dylanwad mam ar ddatblygiad emosiynol ei phlant yn ddwfn ac yn allweddol, ac mai'r berthynas gynnar honno â hi a roes iddo'r hunanhyder a fu'n gymaint o gymorth iddo trwy ei oes.

* * * *

Ym 1878, symudodd Mary Ann a Thomas Jones o Abertawe i Dregŵyr (neu Ffosfelen) i fyw, ac o'u tri phlentyn, Alfred Ernest, a aned ar y cyntaf o Ionawr, 1879, oedd yr hynaf, a'r unig fab. Credai mai ef oedd hoff blentyn ei rieni, ac ni chlywodd air o'i le rhyngddynt erioed. Fe honnai fod ei atgofion cynharaf yn ymestyn yn ôl at yr amser pan nad oedd ond yn ddwy flwydd oed. Digwyddodd y dadrithiad cyntaf a ddaeth i'w ran pan sylweddolodd mai croesawu dyfodiad y flwyddyn newydd yr oedd hwteri'r gweithfeydd lleol ar ganol nos cyn ei benblwydd, yn hytrach na'i gyfarch ef. 'Och am hunanedmygedd plentyndod' oedd ei sylw wrth gofio'r digwyddiad ymhen blynyddoedd. Cafodd hi'n anodd maddau i'w dad am ei enwi yn Alfred Ernest (ar ôl ail fab y Frenhines Victoria), ac fe fyddai dewis ei fam, sef Myrddin, wedi bod yn llawer gwell ganddo.

Nid achosodd y symud o Abertawe unrhyw newid ym mhatrwm addoli'r teulu am amser; byddent yn cerdded y deuddeg milltir o'u cartref newydd yn ôl i'w hen gapel yn gyson, am na ddeallai Thomas Jones ddigon o Gymraeg iddo allu mynychu'r gwasanaethau lleol. Yr oedd Ernest yn blentyn digon gwan ei gorff, a bu'n dioddef o'r llechau oherwydd tuedd ei fam i'w fwydo'n anghymwys. Fe boenwyd ef gan hunllefau, ac ni bu ei blentyndod yn hollol hapus, yn enwedig ar ôl i'w fam fynnu ei symud o ysgol y pentref i Ysgol Uwchradd Abertawe pan oedd yn naw oed, ac wedi hynny i Ysgol Yr Esgob Gore. Ond odid mai dyna'r amser pan ddeffrowyd ei gariad dwfn at ardal Penrhyn Gŵyr wrth iddo orfod chwilio am gysur gan grwydro ar hyd y fro honno gyda'i gi am ddiwrnodau cyfan ar y tro. Daliodd Gŵyr ei gafael arno, a thystiodd y diweddar Dr. Gwent

Ernest Jones yn faban ac yn llanc
Ernest Jones as a baby and a young man

Morfydd Llwyn Owen

broken his connection with the Church. She believed that it was through a process of 'internal' regeneration that conditions of living would improve, while her husband laid more stress on the importance of material improvements. The fact that her son later became an atheist did not deter him from acknowledging that in these things his mother's ideas were nearer to his than were his father's. Although he considered his mother to be of a saintly nature, he could not accept that her influence on him persisted to any significant extent after he had reached eight years of age. As a psychoanalyst, he held that a mother's influence on her children's emotional development was deep and critical, and that it was that early relationship with her that gave him the self-confidence that was such an asset to him throughout his life.

* * * * *

In 1878, Mary Ann and Thomas Jones moved from Swansea to Gowerton (or Ffosfelen) to live, and of their three children, Alfred Ernest, who was born on the first of January, 1879, was the eldest, and the only son. He was convinced that he was his parents' favourite child, and he never heard a cross word between them. His earliest memories, he claimed, went back to the time when he was two years of age, and his first disillusioning experience occurred when he realised that when the sirens at the local works would sound at midnight before his birthday, they were actually heralding the approach of the new year. As he observed many years later on recalling the event—'Alas for the narcissism of childhood'. He found it difficult to forgive his father for having named him Alfred Ernest (after Queen Victoria's second son) and he would have much preferred his mother's choice of Myrddin.

The move from Swansea did not bring about any change in the family's pattern of religious worship; they would regularly walk the twelve miles from their new home to the chapel which they formerly attended in Swansea, because Thomas Jones did not understand enough Welsh for him to attend the local services. Ernest was a weakly child who developed rickets from his mother's tendency not to provide him with a well-balanced diet. He suffered from nightmares, and his childhood was not altogether happy, especially after his mother insisted on his moving from the village school to the Swansea Higher Grade School, and then to the Bishop Gore School. It was probably then that his deep love for Gower originated as he sought comfort by exploring its lands with his dog for days on end. Gower held its grip on him, and the late Dr. Gwent Jones

Jones i'w barodrwydd i geisio gwarchod ei thiroedd yn ddiweddarach, ar amser pan oedd wedi prynu bwthyn yn Llanfadog. Dywed yn ei hunangofiant i'w alluoedd deallusol anghyffredin amlygu eu hunain gyntaf erioed yn fuan wedi iddo ddechrau yn yr ysgol yn Abertawe. Y mae'n honni iddo feistroli elfennau gramadeg yr iaith Eidaleg erbyn iddo gyrraedd deng mlwydd oed. Ddwy flynedd yn ddiweddarach, dysgodd lawfer o fewn wythnos i safon yr arholiad safonol yn y pwnc. Ar yr un pryd, dywed ei fod wedi ei drwytho yng ngwaith Euclid. (I'r gwrthwyneb, dengys ei hen adroddiadau ysgol i safon ei waith mewn mathemateg ddirywio pan oedd tua deuddeng mlwydd oedd. At hynny, fe bwysleisir ei duedd i siarad yn barhaus yn ystod oriau ysgol). Pan oedd yn dair ar ddeg oed, oherwydd bod ei enedigaeth wedi ei chofrestru yn nhref Llanelli, enillodd ysgoloriaeth gan Gyngor Sir Caerfyrddin i Goleg Llanymddyfri. Bu'n falch odiaeth i allu arddel enw ei hen ysgol flynyddoedd wedi iddo ymadael â hi, ond cymysglyd oedd ei adwaith at gael ei hun mewn ysgol breswyl, ar y cyntaf. Cafodd yno ddigon i'w ddiddori, ond am amser methodd â dygymod â'r diffyg annibyniaeth a brofodd yno. Er mai seisnigaidd oedd yr holl athrawon, yr oedd ei gymheiriaid yn Llanymddyfri bron yn ddieithriad yn Gymry. Yr oedd yn siomedig am na chafwyd unrhyw wersi a fyddai'n ymwneud â safleoedd archaeolegol amlwg yr ardal yno, ac am na chafodd ddysgu Cymraeg yno, am iddo deimlo mai hi a ddylai fod yn iaith gyntaf iddo. Yno y dechreuodd sglefrio gyntaf erioed, yng ngaeafau 1893–5. Parhaodd ei ddiddordeb yn hyn o beth gydol ei oes bron, ac yn ddiweddarach, ysgrifennodd lyfr bach ar gyfer dysgwyr ar y pwnc. Er nad yw adroddiadau ei athrawon ar y pryd yn cytuno â'i farn, teimlai fod ei allu a'i ddiddordeb mewn mathemateg yn pallu erbyn hynny. Dymuniad ei fam oedd iddo gael anelu am yrfa ddiwinyddol, ond yr oedd wedi penderfynu oddi ar ddyddiau ei blentyndod ei fod am fod yn feddyg. Yn groes i gynghorion Warden yr ysgol, yn hytrach na hoelio ei sylw ar fynd i Brifysgol Caergrawnt, ymgeisiodd am un o arholiadau Prifysgol Llundain, ac fe ragorodd yn yr arholiad hwnnw.

Erbyn 1895, ag yntau'n un ar bymtheg oed, yr oedd yn un o un ar bymtheg o fechgyn o Forgannwg a fu'n cystadlu am ysgoloriaethau am eu hyfforddiant mewn coleg, a deugain punt y flwyddyn, a gynigiwyd gan y Cyngor Sir. Ar ôl ennill ysgoloriaeth, a thair blynedd wedi iddo gyrraedd Llanymddyfri, ymadawodd â'r Coleg er mwyn dechrau ar yr yrfa a barodd i Brifathro ei hen ysgol sôn amdano ymhen hanner canrif fel y disgybl mwyaf ei fri a gododd yr ysgol erioed. Gan ei fod yn ŵr ifanc bywiog a deallus a weithiai'n

testified to his readiness to help safeguard the peninsula, at a time when he had bought a cottage at Llanmadog. In his autobiography, he claimed that his extraordinary intellectual abilities first became apparent soon after he had started at school in Swansea, and that he mastered the elements of Italian grammar by the time he was ten years old, while two years later, within one week he learned enough about shorthand to enable him to pass the standard examination in the subject. At the same time, he professed to have been steeped in the works of Euclid. (On the contrary, his old school reports from that time show that his standard of work in mathematics deteriorated when he was about twelve years of age. In addition, attention is drawn to his tendency to talk incessantly during school hours). When he was thirteen, because his birth had been registered in Llanelli, he won a Carmarthenshire County scholarship to Llandovery College. Later in life, he was proud to associate himself with his old school, but his first reaction to being in a public school was mixed. There was enough to interest him there, but for a time he found the lack of privacy difficult to tolerate. Although all the teachers there were decidedly English in their attitudes, the pupils were, almost without exception, Welsh. He was disappointed that no mention was made there of the prominent archaeological sites in the vicinity of the school, and that he was not taught Welsh, which he considered should have been his first language. It was there that he started skating, in the winters of 1893—5, and this became a lifelong interest of his, and he later wrote a small book for learners on the subject. Although his teachers' reports disagree with his views, he felt that his ability and interest in mathematics was failing by then. His mother's wish was that he should aim for a career in the church, but he had decided from his childhood that he wanted to be a doctor. In opposition to the advice of the Warden of the school, rather than concentrate on going to Cambridge, he attempted one of the University of London examinations, and excelled at the examination.

By 1895, when he was sixteen years of age, he was one of sixteen boys from Glamorgan who competed for scholarships offered by the County Council for their college fees and forty pounds a year. Having won such a scholarship after three years at Llandovery, he left to start on the career which prompted the Warden of his old school to describe him fifty years later as the most distinguished pupil that the school had produced. Being a lively, intelligent and hard-working young man, who hoped that his work might benefit humanity, he obtained a place at University College, Cardiff. The

galed, ac a ddymunai allu wneud rhywbeth er lles y ddynoliaeth, enillodd le iddo'i hun yng Ngholeg y Brifysgol, Caerdydd. Dengys yr adroddiadau a wnaed ar ei waith na chafwyd arwydd o'r disgleirdeb a oedd i nodweddu ei yrfa academaidd ddiweddarach. Fe all mai'r gwrthdaro seicolegol grymus a'i hysigodd ar y pryd, ac a gododd yn bennaf o'i amheuon crefyddol, a oedd yn rhannol gyfrifol am hyn. O ddeng mlwydd oed, am saith mlynedd, fe'i poenwyd yn arw gan ei anesmwythyd ynglŷn â materion crefyddol. Ynghanol pyliau o hunan-feirniadaeth eirias, a'r euogrwydd dwfn a ddilynai, byddai'n gweddïo'n gyson, yn mynychu cyfarfodydd eglwysig ac yn darllen yn eang waith credinwyr ac anghredinwyr. Troes yn anffyddiwr pan oedd yn ddwy ar bymtheg oed, a theimlai i'w amheuon crefyddol guddio teimladau ac anawsterau rhywiol. Am ddeng mlynedd, fe ddenwyd ef gan athrawiaethau sosialaidd, a bu hyn yn rhwystr ychwanegol i'w waith academaidd.

Penderfynodd na fyddai'n dilyn cwrs gradd Prifysgol Cymru mewn gwyddoniaeth, ac ymhen blynyddoedd aeth hyn yn destun gofid iddo. Dros hanner canrif yn ddiweddarach, fe leddfwyd cryn dipyn ar ei dristwch pan roes Prifysgol Cymru radd Doethur mewn Gwyddoniaeth er anrhydedd iddo. Nid oedd yn bosib parhau â'r holl gwrs meddygol yng Nghaerdydd ar yr amser hwnnw, ac ym 1898, symudodd i Goleg y Brifysgol, Llundain. Golygai ei benderfyniad i barhau â'r cwrs meddygol fod yn rhaid iddo ddibynnu'n llwyr ar ei dad am gefnogaeth ariannol am y tro cyntaf oddi ar ei blentyndod.

Ym 1900, yn un ar hugain mlwydd oed, graddiodd fel meddyg, a blwyddyn yn ddiweddarach enillodd radd ag anrhydedd mewn Meddygaeth ac Obstetreg ynghŷd â bathodyn aur y Brifysgol yn y ddau bwnc, ac ysgoloriaeth prifysgol mewn Obstetreg. Ymfalchïai am mai Cymro arall, Syr John Williams, gŵr yr oedd ganddo barch mawr iddo am ei ran yn sefydlu'r Llyfrgell Genedlaethol yn ddiweddarach, oedd yr arholwr a'i dyfarnodd ef yn deilwng o'r ysgoloriaeth. Dewisodd aros i weithio yn Ysbyty Coleg y Brifysgol am beth amser, ac yn ddiamau, byddai wedi hoffi cael swydd barhaol yno petai wedi gallu gwneud hynny. Byddai'n cwrdd â rhai o Gymry'r ddinas yn gyson trwy ei aelodaeth o Gymdeithas Abertawe, a gwelodd y Gymdeithas honno yn newid ei henw i fod yn Gymdeithas Morgannwg, ac yn ddiweddarach yn Glwb y Cymry. Tua 1904, tueddai i ddieithrio oddi wrth y bywyd Cymreig yn Llundain, a bu blynyddoedd cyn iddo ail-ennyn ei ddiddordeb mewn pethau

reports that were made on his work at that time showed no sign of the brilliance which was such a feature of his later academic career. It may well be that the powerful psychological conflicts which devastated him at the time, and which arose mainly from his religious doubts, were partly responsible for this. From ten years of age, for seven years, he was greatly worried by his uneasiness over religious matters. In the midst of attacks of intense self-criticism, and the profound feelings of guilt that followed, he would pray regularly, attend church services and would read widely the work of believers and non-believers. When he was seventeen, he became an atheist, and felt that his religious doubts had concealed sexual emotions and difficulties. For ten years, he was attracted by socialist doctrines, and this was an additional hindrance to his academic work.

He decided not to follow a University of Wales degree course in science, which he greatly regretted later. More than fifty years afterwards his grief was largely relieved when the University of Wales gave him the honorary degree of Doctor of Science. It was not possible to continue with the whole of the course in Medicine in Cardiff at that time, and in 1898 he moved to University College, London. His decision to continue with the medical course meant that for the first time since his childhood he had to rely entirely on his father for financial help.

In 1900, at twenty-one years of age, he qualified as a doctor, and a year later obtained a degree with honours in Medicine and Obstetrics, together with a University gold medal in both subjects, and a university scholarship in Obstetrics. He felt some pride that it was another Welshman, Sir John Williams, a man whom he greatly respected for his part in founding the National Library of Wales later, who was the examiner who awarded him the scholarship. He chose to stay to work at University College Hospital for some time, and without doubt, he would have liked to have had a permanent post there had that been possible. He regularly met some of his fellow London Welshmen through his membership of the Swansea Society, and he saw that Society change its name to become the Glamorgan Society, and later the Welsh Club. About 1904, he tended to become estranged from the London Welsh life, and many years passed before his interest in Welsh affairs was again

a oedd yn ymwneud â Chymru. (Llawer yn ddiweddarach, ymunodd â'r Blaid Genedlaethol—yn fuan wedi ei ffurfio hi—ond er iddo ymddiddori'n ddwfn mewn gramadeg Cymraeg, ni ddaeth yn ddigon rhugl i allu siarad nac ysgrifennu'r iaith).

Pan oedd yn blentyn, gofynnodd ei fam iddo unwaith pa rinwedd y byddai orau ganddo ei meddiannu ac, er mawr siom iddi, atebodd yn ddibetrus—'egni'. Ym mlynyddoedd cynnar y ganrif hon, fe gafwyd yr arwyddion pendant cyntaf o'r egni anghyffredin hwnnw a fu mor nodweddiadol ohono am weddill ei oes. O fewn pum mlynedd iddo raddio, enillodd gyfres o gymwysterau uwchradd, ac fe ymddangosai fel petai gyrfa ddisglair yn ei aros mewn unrhyw faes meddygol o'i ddewis. Ond nid felly y bu hi. Newidiwyd holl gwrs ei yrfa a'i fywyd gan ddilyniant o ddigwyddiadau digon cymhleth eu natur. Ym mis Medi 1903, ar awr o argyfwng, pan oedd ei gariad yn ddifrifol wael, fe ymadawodd â'r ysbyty lle'r oedd yn gweithio ar y pryd heb iddo gael caniatâd y pwyllgor rheoli. Er i feddyg hŷn gydsynio â'i gais am gael ymadael, bu'n rhaid iddo ymddiswyddo. Nid yw'r hanes fel y mae'n ei roi yn ei hunangofiant yn hollol gyflawn. Dengys cofnodion y pwyllgor iddo ymadael â'r ysbyty heb ganiatâd ddwy waith ar wahân i'r achlysur hwn. Nid oedd ganddo esgus i'w gynnig dros wneud hynny, ac mewn llythyr at y pwyllgor, ymddiheurodd, gan ofyn iddynt ailystyried eu penderfyniad, ond ni wnaethant.

Beth bynnag a gredai am y driniaeth a gawsai ganddynt, byddai un gwall yn eu llyfr cofnodion wedi bod o ddiddordeb mawr iddo gan iddo wneud astudiaeth fanwl o wallau o'r math hwn yn ddiweddarach. Cofnodir—'that this Committee do not consider the explanation offered by Dr. Jones of his absence without leave to be unsatisfactory'. Enghraifft glasurol o'r math o gamgymeriad a elwir yn *lapsus calami* (neu 'gamsgrifennu'), ac sydd ar y golwg cyntaf yn ymddangos fel petai yn hollol anfwriadol, ond sydd yn aml yn datgelu gwir feddwl y sawl a'i gwnaeth. (Daw'r enghraifft fwyaf trawiadol a rydd Jones yn ei astudiaeth ar y pwnc o'r *Wicked Bible* a gyhoeddwyd ym 1631, lle y gadawyd allan y gair 'not' o un o'r Gorchmynion, gan argraffu 'Thou shalt commit adultery'. Ei sylw am hyn oedd 'na ellir eithrio'r posibilrwydd fod gan y golygydd ddiddordeb personol ym mhwnc y gorchymyn').

Cymerodd nifer o swyddi rhanamser a oedd yn wahanol iawn eu natur, gan gynnwys rhai a oedd yn ddi-dâl. Unwaith yn rhagor amlygodd yr egni diarhebol hwnnw a feddiannai ei hun—darlithiai

aroused. (Considerably later, he joined the Welsh Nationalist Party—soon after its formation—but although he took a deep interest in Welsh grammar, he was never able to speak or write the language fluently).

When he was a child, his mother once asked him what virtue he would prefer to possess and, to her great disappointment, he replied unhesitatingly—'energy'. During the early years of this century, the first definite signs of that extraordinary energy that was so typical of him for the rest of his days appeared. Within five years of qualifying, he obtained a series of postgraduate qualifications, and it seemed as though a brilliant career in any medical sphere of his choice awaited him. But that did not happen. His whole career and life were transformed by a sequence of complicated events. In September 1903, at a time of crisis when his girlfriend was seriously ill, he left the hospital at which he was working at the time without the permission of the management committee. Although a senior doctor had agreed to his request to be allowed to leave, he had to resign. The account as he gives it in his autobiography is not altogether complete. The committee's minutes show that on two other occasions he had left the hospital without permission. He had no excuse to offer for having done so, and in a letter to the committee, he apologised, and asked them to reconsider their decision, but they did not do so.

Whatever he might have thought of the way in which they treated him, one mistake which can be found in their minute book would have been of great interest to him. There it is recorded—'that this Committee do not consider the explanation offered by Dr. Jones of his absence without leave to be unsatisfactory'. This is a classic example of the type of mistake known as a *lapsus calami* (or a slip of the pen), which at first appears to be unintentional, but which frequently reveals the true thoughts of the writer. (The most striking example which Jones gives in his study of the subject is from the *Wicked Bible* which was published in 1631, where the word 'not' was left out of one of the Commandments, and 'Thou shalt commit adultery' was printed. Jones's observation on this was that 'the possibility is not to be excluded that the editor had a personal interest in the subject of the commandment').

He took several part-time posts of different kinds, including some that were unpaid. Once more that proverbial energy which he possessed manifested itself—he lectured on First Aid, he worked as

ar gymorth cyntaf, gweithiai fel athro i goleg gohebu meddygol, gwnâi waith achlysurol fel anesthetegydd yn ôl y galw, gwasanaethai fel arolygwr arholiadau meddygol ar ran y Brifysgol, a chynrychiolai'r wasg feddygol mewn darlithoedd. Ar ben hynny, aeth ymlaen â'i waith ymchwil mewn niwroleg (hynny yw, yr astudiaeth o ddoluriau organig sydd yn effeithio ar yr ymennydd a'r nerfau).

* * * *

Ar wahân i Freud ei hun, y gŵr a ddylanwadodd fwyaf ar fywyd Ernest Jones oedd Wilfred Trotter, a ddaeth yn frawd yng nghyfraith iddo maes o law trwy briodi â'i chwaer Elizabeth. Yr oedd yn un o lawfeddygon disgleiriaf ei oes, a daeth yn Athro mewn Llawfeddygaeth yn Ysbyty Coleg y Brifysgol, Llundain. Gan ei fod yn feddyliwr craff a disgybledig a ymddiddorai mewn pynciau seicolegol, bu eu cyfeillgarwch yn fendith ddigymysg i Jones, ac ehangodd ei orwelion diwylliannol o'r herwydd. Fe gofir am Trotter yn bennaf y tu allan i'r maes llawfeddygol fel awdur y llyfr *Instincts of the Herd in Peace and War*. Ym 1905, ar awgrym Trotter, prynodd Thomas Jones brydles tŷ yn Harley Street er mwyn i'w fab a Trotter gael symud yno. Y bwriad oedd i sicrhau gwell cyfleusterau gwaith iddynt, ond y mae'n debyg mai'r llawfeddyg a elwodd fwyaf oherwydd y symud.

Flwyddyn yn ddiweddarach, digwyddodd yr ail drychineb a fu'n rhannol gyfrifol am newid cymaint ar gwrs bywyd Jones. Pan oedd yn saith ar hugain oed, cyhuddwyd ef o ymosodiad rhywiol ar ddwy ferch isnormal eu deallusrwydd, tra oedd wrth ei waith fel meddyg ysgolion yn Llundain. Nid oedd treulio noson yn y ddalfa yn brofiad hollol newydd iddo am iddo gael ei gludo yno ddwywaith o'r blaen o ganlyniad i ryw branciau pan oedd yn fyfyriwr. Ond y tro hwn, wynebai un o brofiadau chwerwaf ei holl yrfa. Ymddangosodd gerbron llys barn bedair gwaith dros y pump wythnos a oedd i ddilyn, ond dyfarniad terfynol y llys oedd ei fod yn ddieuog. Bu'r cyhoeddusrwydd yn niweidiol iddo, a'r unig gysur a ddaeth i'w ran oedd iddo dderbyn cymorth llawer o feddygon. Agorwyd cronfa i'w gynorthwyo i dalu ei dreuliau cyfreithiol, a thanysgrifiwyd y rhan fwyaf o'r arian yr oedd arno ei angen.

* * * *

a lecturer in a medical correspondence college, he would do occasional work as an anaesthetist, and as a supervisor at university examinations in Medicine, and represented the medical press at various lectures. In addition, he continued with his research work in neurology (that is, the study of the organic diseases that affect the brain and nerves).

* * * *

Apart from Freud himself, the man who had most influence on Ernest Jones's life was Wilfred Trotter, who eventually became his brother-in-law by marrying his sister, Elizabeth. He was one of the most brilliant surgeons of the day, and became Professor of Surgery at University College Hospital, London. As he was a penetrating and disciplined thinker who was interested in psychological topics, their friendship was an unmixed blessing to Jones, and his intellectual horizons were widened as a result. Trotter is primarily remembered outside the surgical field as the author of the book *Insticts of the Herd in Peace and War*. In 1905, at Trotter's suggestion, Thomas Jones bought the lease of a house in Harley Street so that his son and Trotter could move there. The intention was to ensure better working conditions for them, but it seems likely that it was the surgeon who profited mostly from the move.

A year later, the second calamity which was partly responsible for changing so much of the course of Jones's life occurred. When he was twenty-seven, he was accused of sexually assaulting two girls of subnormal intelligence while he was working as a schools doctor in London. Spending a night in the lock-up was not an entirely new experience for him as he had previously been taken into custody twice following some pranks as a student. But this time, he was to face one of the most bitter experiences of his whole career. He appeared in court four times during the following five weeks, but the final verdict of the court was that he was not guilty of the offences. The publicity was damaging to him, and his only consolation came from the help which he got from many doctors. A fund was set up to help pay his legal expenses, and most of the money required for that purpose was donated.

* * * *

Nid oes sicrwydd pa bryd yn union y dechreuodd gymryd diddordeb mewn gwaith seiciatregol. Ymwelodd ag ysbyty seiciatregol mor gynnar â 1902, gan obeithio ehangu ei brofiad, ond daeth i'r casgliad fod seiciatreg wedi cyrraedd ei safon isaf erioed yn Lloegr. Teimlai fod seiciatregwyr uniongred yn llawer rhy faterolaidd eu hagwedd a bod angen mwy o ymchwil i gefndir seicolegol cleifion. Unwaith eto, gwelir dylanwad Trotter arno gan iddo ef gymharu arwyddion y doluriau hyn i waed yn diferu o dan ddrws heb fod gan y rhai a'i gwelai y syniad lleiaf o'r drasiedi a oedd yn digwydd y tu arall i'r drws. O'i waith wrth ddefnyddio hypnosis â chleifion, cafodd Jones ei argyhoeddi o bwysigrwydd yr hyn a alwai yn 'ddigwyddiadau isymwybodol'. Ym 1905, yr oedd Trotter wedi sôn wrtho am waith cyhoeddedig cynnar Freud, ac wedi iddo ei ddarllen, yr hyn a'i trawodd oedd fod 'gŵr yn Vienna a oedd yn gwrando'n ofalus ar bob gair a ddywedai ei gleifion wrtho'. Ystyriai ef fod hyn yn ddatblygiad newydd mewn meddygaeth, ac yn un chwyldroadol y byddai'n rhaid iddo ddod i wybod mwy amdano. Hyd y gwyddys, Jones oedd y cyntaf o'r tu allan i'r gwledydd Almaeneg eu hiaith i ymarfer techneg Freud wrth drin cleifion. Dywed fod ei brofiad fel llanc un ar ddeg oed wedi ei gwneud hi'n haws iddo allu derbyn gwaith Freud yn ddiweddarach. Cofiai iddo gael sawl breuddwyd lle'r oedd cysylltiad rhywiol rhyngddo a'i chwiorydd. Bu'r gwrthgyferbyniad rhwng y pleser a brofodd trwy'r breuddwydion a'r cywilydd a deimlodd wrth ddihuno yn fodd i'w ddysgu fod y rhan foesol o'r meddwl yn cysgu'n ddyfnach na'r rhan gyntefig. Felly, honnodd iddo ragbroffwydo rhan bwysig o ddamcaniaeth Freud.

Ym mis Chwefror 1908, gwnaeth ymgais at seicdreiddio merch ddeng mlwydd oed heb yn wybod i'w rhieni a heb iddynt roi eu caniatâd. Ymffrostiodd hi wrth ei chyfeillion eu bod yn trin materion rhywiol, ac unwaith eto, gorfodwyd ef i ymddiswyddo. Y mae'n anodd esbonio ei ymddygiad yn hyn o beth. Bu'r achos yn ei erbyn ddwy flynedd yn gynt yn ysgytiad trwm iddo, ac o ystyried rhagfarnau'r amserau hynny, yr oedd braidd yn annisgwyl ei fod wedi mentro ar driniaeth o'r math hwnnw mor fuan, gan wybod y byddai'n sicr o dynnu nyth cacwn am ei ben. Er cymaint yr helynt ynglŷn â'i waith seicdreiddiol, fe allai fod wedi parhau â'i waith yn

It is uncertain when exactly he started to take an interest in psychiatric work. As early as 1902, he visited a psychiatric hospital in the hope that he could widen his experience, but he came to the conclusion that psychiatry in England had reached its lowest standards ever. He felt that orthodox psychiatrists took a far too materialistic view of their subject and that more research into patients' psychological backgrounds was needed. Once again, Trotter's influence on him is seen in comparing the symptoms of these ailments to a trickle of blood from under a door without the onlookers having the slightest idea of the tragedy that was being enacted on the other side of the door. From his work in using hypnosis in treating patients, Jones became convinced of the importance of what he referred to as 'unconscious happenings'. In 1905, Trotter had mentioned Freud's early published work to him, and after reading it, he was struck by the fact that there was 'a man in Vienna who actually listened with attention to every word his patients said to him'. He considered this to be a new development in medicine which was revolutionary and which he would need to learn more about. As far as is known, Jones was the first one outside the German-speaking countries to use Freud's technique in treating patients. He claimed that his experience as an eleven-year-old youth made it easier for him to be able to accept Freud's work later. He could recall having several dreams in which there occurred sexual contact between him and his sisters. The contrast between the pleasure which he experienced during the dreams and the sense of shame which he experienced on waking taught him that the more moral part of the personality slept more deeply than the primitive part. Thus, he claimed to have predicted an important facet of Freud's theory.

In February 1908, he attempted to psychoanalyse a ten year old girl without her parents' knowledge or consent. She boasted to her friends that they were discussing sexual matters, and once again, he was forced to resign. It is difficult to explain the significance of his actions here. The legal action against him two years earlier had been a heavy blow to him, and considering the prejudices of those days, it was rather surprising that he should have embarked on that form of treatment so soon, as he must have known that he was certain to bring a hornets' nest about his ears. In spite of the extent of the trouble connected with his psychoanalytical work, he could have continued with his work in the other hospitals at which he

yr ysbytai eraill y bu yn gweithio ynddynt, ac y mae'r llythyron a dderbyniodd oddi wrth reolwyr yr ysbytai hynny wrth iddo ymddiswyddo yn dyst i'r enw da a gafodd ganddynt.

Ond rhwng effeithiau'r gyfres hon o ddigwyddiadau a'i gefnogaeth cynyddol i'r mudiad Freudaidd, fe ddaeth yn amlwg nad oedd ganddo fawr o obaith am swydd academaidd yn Llundain. Bu'n ystyried symud i Gaerdydd fel niwrolegwr, ond cynigiwyd swydd iddo fel pennaeth clinic seiciatregol newydd a oedd ar fin cael ei agor yn Nhoronto. Derbyniodd y cynnig, ond cyn symud yno, treuliodd rai misoedd yn y Swistir a'r Almaen yn ehangu ei brofiad. Ei hyfforddwr cyntaf yn nhechneg seicdreiddiaeth oedd Otto Gross, un o'r mwyaf gwreiddiol ac anghonfensiynol o ddilynwyr Freud, a dreuliai'r rhan fwyaf o'i amser yn y *Café Passage* ym Munich, ac wrth ei fwrdd yno y byddai'n seicdreiddio'r rhai a ddeuai ato am gymorth. Ni chyfarfu Jones â neb arall a feddai ar allu Gross i synhwyro meddyliau pobl eraill, ac ar wahân i Freud ei hun, Gross oedd yr unig seicdreiddiwr a wnaeth sylw am gefndir Cymreig Jones. Prif bwysigrwydd y cyfnod hwnnw yn hanes Jones yw iddo dreulio cymaint o'i amser yng nghwmni seicdreiddwyr a dilynwyr Freud, a thrwy hynny, crisialodd ei syniadau am bwysigrwydd y *digwyddiadau isymwybodol* a fu'n ei gorddi gynt.

Yr oedd yn gyfarwydd â Carl Gustav Jung, y pwysicaf o ddilynwyr cynnar Freud, cyn iddo gwrdd â Freud ei hunan. Yr oedd Jung eisoes yn enwog fel seiciatrydd, ac aeth Jones ato i Zurich am amser. Awgrymodd i Jung ei bod hi'n hen bryd i gynnal cynhadledd ryngwladol i drafod arwyddocâd y darganfyddiadau a wnaed yn Vienna, a derbyniwyd y syniad yn wresog. Yn Salzburg, ym 1908, y cynhaliwyd y gyngres seicdreiddiol ryngwladol gyntaf, ac yno y cyfarfu Jones â Freud am y tro cyntaf. Yno hefyd y dechreuodd y cyfeillgarwch a oedd i barhau hyd at amser marwolaeth Freud. Ei argraff gyntaf o'r gŵr a ddylanwadodd gymaint ar ei fywyd o'r amser hwnnw ymlaen oedd o ŵr tawel a dirodres a'i cyfarchodd trwy gyfeirio at ei dras Cymreig. Synnwyd ef gan hyn, ond darganfu ymhell wedi hynny mai Jung oedd wedi sôn wrth Freud am hyn ychydig amser cyn i'r ddau gael eu cyflwyno i'w gilydd. Freud ei hun a draddododd y gyntaf o ddarlithoedd y gyngres, a siaradodd yn ddi-baid am dair awr heb iddo orfod defnyddio nodiadau—ac fe fynnodd ei wrandawyr ei fod yn parhau wrthi am bron ddwy awr arall. Fe swynwyd Jones gan urddas, gwyleiddra a gwybodaeth

was employed, and the letters which he received from the governors of those hospitals on resigning testify to the high reputation which he had there.

But between the effects of this series of happenings and his increasing support to the Freudian movement, it became obvious that he did not have much hope of an academic post in London. He did consider moving to Cardiff as a neurologist, but he was offered a post as director of a new psychiatric clinic that was about to be opened in Toronto. He accepted the offer, but before moving there, he spent some months in Switzerland and Germany broadening his experience. His first instructor in the technique of psychoanalysis was Otto Gross, one of the most original and unconventional of Freud's followers, who would spend most of his time in the *Café Passage* in Munich, and it would be at his table there that he would psychoanalyse those who came to him for help. Jones never met anyone else who possessed Gross's ability to sense other people's thoughts, and apart from Freud himself, Gross was the only psychoanalyst who commented on Jones's Welsh background. The main significance of that period in Jones's history is that he spent so much of his time in the company of psychoanalysts and Freud's followers, and in so doing was able to crystallise his thoughts about the importance of the *unconscious happenings* which had previously excited him.

He was acquainted with Carl Gustav Jung, the most important of Freud's early followers, before he had met Freud himself. Jung was already well-known as a psychiatrist, and Jones went to Zurich to him for some time. He suggested to Jung that it was high time that an international conference was held to discuss the significance of the discoveries which had been made in Vienna, and the suggestion was enthusiastically received. It was in Salzburg in 1908 that the first international psychoanalytical congress was held, and it was there that Jones met Freud for the first time. It was there too that their friendship, which lasted until Freud's death, started. His first impression of the man who was to influence his life so greatly from that time on was of a quiet, unostentatious person who greeted him with a reference to Jones's Welsh origins. He was surprised at this, but discovered very much later that it was Jung who had told Freud about this a short time before they were introduced. It was Freud himself who delivered the first lecture at the congress and he spoke without a break for three hours without having to use notes—and his listeners insisted that he should continue for almost another

Freud—'Ni fûm erioed mor anymwybodol o dreiglad amser', meddai am y ddarlith honno. Er mai am ddiwrnod yn unig y parhaodd y gynhadledd gyfan, fe gafwyd wyth ddarlith arall. Yn narlith Jones—yr unig un a draddodwyd yn Saesneg—cafwyd awgrym digamsyniol o'i bwysigrwydd fel awdur ar bynciau seicdreiddiol. Ynddi y cyflwynodd un o'r ddau air newydd a greodd trwy drafod y ffenomen o resymoli, sef y duedd gyffredinol ac isymwybodol honno o gynnig rhesymau mwy derbyniol i egluro gweithredoedd sydd yn debyg o achosi anesmwythyd i'r sawl sydd yn gyfrifol amdanynt. Adlewyrchwyd pwysigrwydd y gwaith hwn wrth i Freud awgrymu iddo cyn i'r gyngres orffen fod angen llyfr ar seicdreiddiaeth wedi ei sgrifennu yn Saesneg, ac y dylai Jones ei hun ymgymryd â'r gwaith.

Aeth Wilfred Trotter i Salzburg ar gyfer y gyngres, ac felly fe gyfarfu'r ddau ŵr a edmygai Jones fwyaf. Yr oedd Trotter wedi bwriadu aros yno dros yr holl gyfarfodydd, ond fe ymadawodd yn weddol ddisymwth cyn clywed darlith Freud. Nid oes modd dyfalu yn union paham nad arhosodd yn ôl ei fwriad gwreiddiol, ond y mae o leiaf yn bosib iddo gael ei ddadrithio yn gynnar yng ngweithgareddau'r gyngres. Fe siomwyd Jones gan ei ymadawiad, ac er iddynt barhau i gwrdd â'i gilydd, fe ellid awgrymu mai dyna'r man lle dechreuodd y ddau ymwahanu, er mawr loes i Jones. Y tro nesaf y cyfarfu Freud a Trotter oedd yn Llundain ddeng mlynedd ar hugain yn ddiweddarach, pan ofynnwyd am farn Trotter ar gyflwr corfforol Freud, ac yntau'n dioddef o gancr.

* * * *

O'r Gyngres aeth Jones i Vienna, lle cafodd groeso gwresog gan deulu Freud. Yno y seliwyd y gyfathrach a'r berthynas rhwng y ddau o ddifrif, gan iddynt gael cyfle i sgwrsio ac i drin eu gwaith yn fanylach. Ymhell cyn cynnal y gynhadledd, yr oedd Freud wedi dechrau gwahodd rhai a oedd â diddordeb arbennig yn ei waith i'w gartref yn wythnosol i gynnal trafodaethau ar bynciau seicdreiddiol. O'r cyfarfodydd anffurfiol hynny y cododd Cymdeithas Seicdreiddiol Vienna, a bu Jones yn ymweld â'r Gymdeithas o bryd i'w gilydd. Nid oedd gan Jung feddwl uchel o safon gwaith aelodau cynharaf y Gymdeithas. Beirniadodd Jones ef am hynny gan ei gyhuddo o fod yn wrth-Iddewig, ond bu ef ei hun yr un mor atgas ei agwedd tuag atynt. Credai na chafodd Freud ddilynwyr a oedd yn deilwng

two hours. Jones was enchanted by Freud's dignity, modesty and learning—'I had never before been so oblivious of the passage of time', was his comment on that lecture. Although the whole conference lasted only for one day, there were eight other lectures. In Jones's lecture—the only one delivered in English—there was to be found an unmistakable suggestion of his importance as an author on psychoanalytical subjects. There he introduced one of the two new words which he devised, by discussing the phenomenon of rationalisation, which is that universal and unconscious tendency to offer more acceptable reasons as explanations for actions which might cause concern to the individual responsible for them. The importance of this work was reflected in the suggestion made by Freud to him before the congress finished, that there was a need for a book on psychoanalysis in English, and that Jones himself ought to undertake the task.

Wilfred Trotter went to Salzburg for the congress, and the two men whom Jones admired most therefore met. Trotter had intended staying there for all the meetings, but he left rather abruptly before hearing Freud's lecture. There is no means of discovering exactly why he did not stay as he had originally meant to, but it is at least possible that he had been disillusioned early in the course of the congress's activities. Jones was disappointed by his departure, and although they continued to meet it could be suggested that that was the point at which the two started to go their separate ways, to Jones's great disappointment. The next time that Freud and Trotter met was in London thirty years later, when Trotter's opinion was asked on Freud's physical state when he was suffering from cancer.

* * * *

From the Congress Jones went to Vienna, where he got a warm welcome from Freud's family. There, they had an opportunity to talk and to discuss their work at greater length and their friendship and relationship was consolidated. Freud had started to invite people with a special interest in his work to his home each week to discuss psychoanalytical matters long before the conference was held. It was from those meetings that the Vienna Psychoanalytical Society originated, and Jones visited the Society from time to time. Jung did not think highly of the standard of work of the earliest members of the Society, and Jones criticised him for this and accused him of being anti-Jewish, but he himself was equally hostile towards them. He thought that Freud's followers there were not

ohono, ond dengys y cofnodion a gadwyd o'r cyfarfodydd mai anaml y bu ef yno, ac y mae'n anodd penderfynu ar ba sail y daeth ef i'r casgliad hwnnw. O wybod am waith rhai o leiaf o'r aelodau cynnar hynny, ni ellir derbyn yn gyfangwbl yr hyn y mae'n ei ddweud amdanynt. Fe wyddys i'r aelodau eu hunain deimlo ei bod hi'n anrhydedd i gael un o safon Jones yn eu plith. Ni theimlai ef iddo fod dan unrhyw anfantais oherwydd ei gefndir an-Iddewig, ac 'am fy mod fy hunan (yn un) o genedl orthrymedig, bu'n hawdd i mi uniaethu fy hunan â'r safbwynt Iddewig'.

* * * *

Yr oedd Pierre Janet, a weithiai yn y Salpêtrière ym Mharis, yn enwog am ei ddulliau o drin doluriau seiciatregol, a byddai Jones wedi hoffi mynd ato i weithio am amser byr. Methodd â gwneud hynny am nad oedd Janet yn ei chael hi'n hawdd i gydweithio â neb arall, ac ymadawodd am Ganada ym mis Medi, 1908. Bu'n rhaid iddo ail-sefyll ei holl arholiadau meddygol, ond ni bu hynny yn faen tramgwydd iddo. Oherwydd ei gymwysterau academaidd arbennig, ac ansawdd y llythyron o gymeradwyaeth a aeth gydag ef o Lundain, o fewn tri mis iddo ddechrau ar ei waith newydd, ar wahân i'w brif ddyletswyddau yn y clinic, llwyddodd i fachu sawl swydd ranamser arall. Fe'i gwnaed yn arddangoswr mewn ffisioleg, ac yna mewn seiciatreg, yn y Brifysgol, ac yn batholegwr ac yn niwrolegwr yn yr ysbyty seiciatregol. Ar ben hynny, daeth yn arddangoswr mewn meddygaeth ac yn seiciatrydd cynorthwyol i Ysbyty Gyffredinol y ddinas. Ym mis Medi 1911, fe'i dyrchafwyd yn Athro Cynorthwyol ym Mhrifysgol Toronto. Y mae ar gael dystiolaeth gan un o'i gyn-fyfyrwyr mai darlithydd anysbrydoledig ydoedd yn y dyddiau hynny. Ond wrth fynd yn gyfrifol am ddarlithio ar bynciau seiciatregol i fyfyrwyr meddygol, yr oedd mewn ffordd i ddylanwadu ar sawl cenhedlaeth o feddygon mewn ffordd nad oedd unrhyw seicdreiddiwr arall wedi gallu ei wneud hyd at ymhell wedi hynny. (Y mae'n bur debyg mai'r unig seicdreiddiwr arall a ddaeth yn agos at gael y fath ddylanwad oedd Jung, ond fe ymddiswyddodd ef o'i ddarlithyddiaeth er mwyn canolbwyntio ar ei waith fel seicdreiddiwr). Er cymaint ei holl ddyletswyddau eraill, llwyddodd rywsut i barhau â'i waith ymchwil. Tra oedd yng Nghanada, cyhoeddodd fwy o ddeunydd mewn cylchgronau technegol nag ar unrhyw adeg arall yn ei oes. Cynhyrchodd dros ddeg a thrigain o bapurau ar amrywiaeth o destunau gan gynnwys dau o'i gyhoeddiadau enwocaf, y traethawd ar Hamlet, a ehangwyd ganddo i'w gyhoeddi fel llyfr yn nes ymlaen, a'i waith ar hunllefau.

worthy of him, but the Society's records show that he only attended their meetings infrequently, and it is difficult to decide on what grounds he came to that conclusion. From our knowledge of the work of at least some of those early members, Jones's opinions of them cannot be accepted altogether. It is known that the Society's members felt it was an honour to have someone of Jones's status at their meetings. He did not feel at a disadvantage because of his non-Jewish background, and 'coming myself from an oppressed race, it was easy for me to identify myself with the Jewish outlook'.

* * * *

Pierre Janet, who worked in the Salpêtrière in Paris, was well-known for his techniques of treating mental illness, and Jones would have liked to have worked with him for a short time. He failed to do so because Janet found it difficult to work with others, and so he left for Canada in September 1908. He had to resit all his medical examinations, but that was no great obstacle for him. Because of his exceptional academic qualifications, and the quality of the letters of recommendation that he took with him from London, within three months of his starting on his new work, apart from his main duties in the clinic, he succeeded in obtaining several other part-time posts. He became a demonstrator in physiology, and then in psychiatry at the University, and then a pathologist and neurologist in the psychiatric hospital. In addition, he became a demonstrator in medicine and assistant psychiatrist to the city's General Hospital. In September 1911, he was promoted to Associate Professor at the University of Toronto. There is available evidence from one of his former pupils that he was an uninspiring lecturer at that time. But by assuming responsibility for lecturing on psychiatric subjects to medical students, he was in a position to influence several generations of doctors in a way that no other psychoanalyst was able to do until considerably later. (It seems likely that the only other psychoanalyst who came close to having such influence was Jung, but he resigned from his lectureship in order to concentrate on his work as a psychoanalyst). In spite of all his other duties, he somehow managed to continue with his research work. While he was in Canada, he published more in technical journals than at any other time in his life. He produced more than seventy papers on a variety of subjects including two of his best-known publications, the essay on Hamlet which he later enlarged and published in book-form, and his work on nightmares.

Aeth y sôn amdano ar led, a heb fod yn hir, gofynnwyd iddo ymgymryd â thriniaeth cleifion o ardaloedd eraill yng Nghanada, ac i raddau helaethach, o'r Unol Daleithiau. Parhaodd a chynyddodd ei egni, a heb os nac onibai, ef a fu'n fwy cyfrifol na neb arall am sicrhau mai'r Unol Daleithiau fyddai'r wlad â'r cyfartaledd uchaf o seicdreiddwyr trwy'r byd yn y pen draw. Oherwydd ei fod mor brysur methodd â chyrraedd yr ail gyngres ryngwladol seicdreiddiol a gynhaliwyd yn Nuremberg ym 1910, a dyna'r unig un na fu ef ynddi hyd at amser ei ymddeol. Ynddi hi y ffurfiwyd y Gymdeithasfa Seicdreiddiol Ryngwladol, ond ni fu mor gyfeillgar ei naws â'r gyntaf, oherwydd yr helyntion gweinyddol a gododd.

Yr oedd ef wedi ymuno â Chymdeithasau Niwrolegol a Seicolegol yr Unol Daleithiau, ac ehangodd ei gysylltiadau proffesiynol yn fawr wrth hyn, er iddo orfod teithio'n aml ac ymhell i'r cyfarfodydd. Eto ym 1910, bu'n rhannol gyfrifol am ffurfio'r Gymdeithasfa Seicobatholegol Americanaidd, a daeth yn is-olygydd y *Journal of Abnormal Psychology*, mewn cyfnod pan dueddai golygyddion cylchgronau i wrthod derbyn deunydd a oedd yn ymwneud â seicdreiddiaeth, ac felly yr oedd y penodiad hwnnw yn un o bwys. Flwyddyn yn ddiweddarach, ef a ffurfiodd y Gymdeithas Seicdreiddiol Americanaidd, heb ddim ond wyth aelod. Rhai misoedd yn gynt, yr oedd A. A. Brill wedi sefydlu cymdeithas seicdreiddiol yn Efrog Newydd, a gobaith Brill oedd y byddai ei gymdeithas ef yn derbyn aelodaeth uniongyrchol o'r Gymdeithasfa Ryngwladol. Gwrthwynebodd Jones hyn, ac yn ôl ei arfer, ef a enillodd yn yr ymrafael a fu rhyngddynt, ac o fewn blwyddyn, bodlonodd Brill ar gael ymuno â'r Gymdeithas Americanaidd. Darlithiai Jones ar ei bwnc ar bob cyfle a gâi, gan deithio hyd a lled cyfandir er mwyn cael gwneud hynny, ac efe a draddododd y papur cyntaf erioed a ddarllenwyd ar seicdreiddiaeth mewn cyngres feddygol. Yn aml, byddai'n cwrdd â gwrthwynebiad ffyrnig wrth wneud hyn: er enghraifft, wrth iddo ddarlithio i'r Gymdeithas Seicolegol Americanaidd ar freuddwydion, torrodd menyw ddicllon ar ei draws gan daeru ei bod hi'n bosib fod breuddwydion pobl yn Ewrob yn cael eu dylanwadu gan rymusterau isymwybodol o'r math a ddisgrifiwyd gan y darlithydd, ond nad oedd hynny'n wir am Americaniaid!

Fel Freud ei hun, tueddai at fod yn wrth-Americanaidd, ac ni fu ei fywyd ar y cyfandir hwnnw heb ei helyntion iddo. Tra oedd yn byw yng Nghanada, cafodd ei atgoffa'n aml o bwysau'r dylanwadau Victorianaidd a deimlodd fel plentyn, ac ni fu ei agwedd oroddefgar ef at faterion rhywiol yn gymorth i'w ddwyn yn nes at frodorion

He became known more widely, and soon he was being asked to undertake the treatment of patients from elsewhere in Canada, and to a greater extent, from the United States. His energy persisted and even increased, and without doubt it was he more than anyone else who ensured that the United States would eventually have the highest proportion of psychoanalysts of any country in the world. Because of pressure of work, he failed to attend the second international psychoanalytical congress which was held in Nuremberg in 1910, and that was the only congress which he missed until his retirement. It was there that the International Psychoanalytical Association was formed, but the atmosphere there was not as friendly as the first because of the administrative troubles which occurred.

He had become a member of the American Neurological and Psychological Societies and in so doing he widened his professional contacts considerably, but he had to travel extensively in order to frequent the societies' meetings. In 1910, he was partly responsible for forming the American Psychopathological Association, and became assistant editor of the *Journal of Abnormal Psychology* at a time when most editors tended to refuse papers on psychoanalysis, and therefore that appointment was of some importance. A year later, it was he who founded the American Psychoanalytical Society, with only eight members. Some months previously, A. A. Brill had founded a psychoanalytical society in New York, and Brill had hoped that his society would be given direct membership of the International Association. Jones opposed this, and as usual, he got his way, and within a year Brill accepted membership of the American Society. Jones lectured on his subject at every opportunity and would travel the length and breadth of the continent in order to do so, and it was he who read the first paper ever delivered on psychoanalysis at a medical congress. He would frequently meet with fierce opposition: for example, on lecturing to the American Psychological Society on dreams, an angry lady interrupted him to say that it was possible that Europeans' dreams were influenced by unconscious forces of the kind described by the lecturer but that that was not true of Americans!

Like Freud himself, he tended to be anti-American in his attitudes, and his stay on that continent was not without its troubles for him. While he was living in Canada, he was frequently reminded of the pressures of the Victorian influences to which he was subjected as a child, and his overtolerant attitude in sexual matters did not endear

dinas a ymfalchïai yn yr enw *Toronto Ddaionus*. Ni allai gynefino â'r tywydd, a hiraethai gymaint am fywyd yn Ewrop nes iddo ymuno â Chlwb Almaenwyr y ddinas. Dros dro, bu'n rhaid iddo gael ei gysgodi gan yr heddlu wedi i un o'i gyngleifion fygwth ei saethu gan ei gyhuddo o gael cyfathrach rywiol â hi. Â'r helyntion blaenorol heb fod yn rhy bell i ffwrdd, teimlai na allai wynebu'r cyhoeddusrwydd a oedd yn debyg o ddilyn petai'r cyhuddiadau yn parhau. Talodd bum cant o ddoleri iddi a daeth yr erledigaeth i ben.

Rhwystrwyd ef rhag parhau fel cyd-olygydd y *Bulletin of the Ontario Hospitals for the Insane*, ond nid oes wirionedd i'w haeriad fod y llywodraeth wedi gwahardd cyhoeddi'r cylchgrawn ym 1910 oherwydd ei fod ef yn un o'r staff golygyddol. Ni allai fod wedi ychwanegu at ei boblogrwydd ymhlith ei gydweithwyr trwy ddefnyddio rhwng hanner a phedwar ugain y cant o gynnwys y cylchgrawn ar gyfer ei waith ei hunan sawl tro. Beth bynnag oedd agwedd ei gyd-lafurwyr at ei ddygnwch a'i weithgarwch, dangosodd James Jackson Putnam, Athro Niwroleg Prifysgol Harvard, gefnogaeth arbennig iddo, wrth ei amddiffyn yn gyhoeddus pan fyddai'n darlithio ar bynciau a oedd yn anghymeradwy gan ei wrandawyr, ac wrth ei symbylu i barhau â'i waith. Ym 1910, gwnaeth Putnam ymdrech i geisio cael swydd iddo yn y labordy seicolegol yn Harvard, ond methodd oherwydd y pryderon arferol am y pwyslais a osodai Jones ar faterion rhywiol. Petai Putnam wedi llwyddo, a Jones wedi aros yn yr Unol Daleithiau fel canlyniad, y mae'n debyg y buasai hynny wedi hybu datblygiad yr ysgol Freudaidd yn y wlad honno, ond o ystyried y rhan allweddol a chwaraewyd ganddo wrth gyflwyno seicdreiddiaeth i Loegr yn ddiweddarch, byddai wedi rhwystro'r datblygiadau a ddigwyddodd yn Llundain fel canlyniad i'w waith yno.

Trwy gydol ei amser yn Nhoronto, treuliai'r hafau yn Ewrop, ac y mae'n amlwg mai mynd yn ôl i Lundain oedd ei wir uchelgais. Pan waethygodd iechyd Loe Kann, y wraig ifanc a fu'n cyd-fyw ag ef, ac a aeth gydag ef a'i chwaer Elizabeth i Ganada, penderfynasant mai gofyn i Freud i ymgymryd â'i thriniaeth hi fyddai orau. Tra oedd yng Nghanada, bu farw ei fam yn hanner cant a phedair oed, a phriododd ei chwaer â Wilfred Trotter wedi iddi hi ddychwelyd i Lundain ym 1910. Felly, ym Mehefin 1912, ymadawsant am Vienna. Yr oedd Jones wedi gobeithio y byddai'n gallu dal i ddarlithio yn Nhoronto gan dreulio gweddill ei amser yn gweithio yn Llundain. Gwrthododd Cyfadran Feddygaeth y Brifysgol ei

him to the people of a city that boasted the name *Toronto the Good.* He failed to get used to the weather, and longed so much for life in Europe that he joined the city's German Club. For a time, he had to be protected by the police after one of his former patients had threatened to shoot him after accusing him of having sexual intercourse with her. As his previous troubles were not too far away, he felt that he could not face the publicity that was likely to follow if the accusations persisted. He paid five hundred dollars to her, and was no longer persecuted.

He was prevented from continuing as co-editor of the *Bulletin of the Ontario Hospitals for the Insane*, but there is no substance to his allegation that the government prohibited its publication in 1910 because he was one of the editorial staff. He could hardly have added to his popularity with his fellow workers by taking up between a half and eighty per cent of the space available in the journal for his own work, several times. Whatever the attitude of his colleagues to his vigour and diligence might have been, James Jackson Putnam, Professor of Neurology at Harvard University, gave him a great deal of support, by defending him publicly when he lectured on subjects that were unpopular with his audiences, and by stimulating him to continue with his work. In 1910, Putnam attempted to secure for him a post in the psychology laboratory at Harvard, but he failed because of the usual concern about the emphasis which Jones laid upon sexual topics. Had Putnam succeeded, and had Jones stayed in the United States as a result, it is likely that the development of the Freudian School in America would have been accelerated, but when Jones's key role in introducing psychoanalysis into England later is considered, that certainly would have hindered the developments which took place in London as a result of his work there.

Throughout his time in Toronto, he spent the summers in Europe, and it was obvious that to return to London was his true ambition. When the health of Loe Kann, his mistress, who had gone to Canada with him and his sister Elizabeth, deteriorated, they decided that it would be best to ask Freud to undertake her treatment. While he was in Canada, his fifty-four year old mother died, and his sister married Wilfred Trotter on her return to London in 1910. Therefore, in June 1912, they left for Vienna. Jones had hoped to be able to continue with his lecturing in Toronto and to spend his remaining time working in London. The University's Faculty of Medicine refused his request to do this, and he resigned his post

gais i wneud hyn, ac fe ymddiswyddodd yn Nhachwedd 1913. Efallai mai Freud a grynhôdd gyfraniad Jones i seicdreiddiaeth yng Ngogledd America orau trwy awgrymu ei fod wedi concro'r cyfandir hwnnw mewn cyn lleied â phedair blynedd. Blodeuodd ei gyfeillgarwch â Freud tra oedd yn Vienna, ond ar ei gyngor ef ymadawodd Jones am yr Eidal tra oedd triniaeth Loe yn parhau. Bu'r driniaeth yn llwyddiannus, ond daeth diwedd ar berthynas y ddau, ac fe briododd Loe â rhywun arall.

* * * *

Cyn hynny, yr oedd Jung wedi argymell y dylai pawb a dderbyniwyd am hyfforddiant fel seicdreiddwyr ymgymryd â chael eu seicdreiddio eu hunain fel rhan hanfodol bwysig o'r gorchwyl. Ar awgrym Freud, aeth Jones o'r Eidal i Budapest at Sandor Ferenczi (a seicdreiddiwyd gan Freud ei hun yn ddiweddarach), lle bu dan driniaeth am awr ddwy waith y dydd am rai misoedd. Yn ddiweddarach, daethpwyd i gredu na ellid seicdreiddio neb mewn cyn lleied o amser â hynny, ac ym 1924, cynigiodd Ferenczi ailymgymryd â'r dasg, ond gwrthododd Jones y cynnig am ei fod yn rhy brysur, ac am na welai unrhyw wir angen dros wneud hynny. Credai mai ef oedd y seicdreiddiwr cyntaf i dderbyn awgrym Jung am yr angen i seicdreiddio seicdreiddwyr, ac i Freud ei argymell i wneud hynny am iddo ddymuno mai Jones a fyddai'n ei olynu fel arweinydd y mudiad seicreiddiol. Teimlai iddo gael gafael ar fath o hunanddealltwriaeth a chytgord mewnol na fu ganddo cyn hynny, a chollodd ei ddiddordeb mewn syniadau sosialaidd. Yr oedd ganddo barch uchel tuag at Ferenczi, ac aeth blynyddoedd heibio cyn i'w serch ato droi yn atgasedd. Fe all fod mai agosatrwydd Ferenczi at Freud a'i ymadawiad diweddarach â'r garfan Freudaidd a oedd yn gyfrifol am y newid sylfaenol hwn yn ei agwedd at ei gyn-hyfforddwr. Diddorol yw'r awgrym diweddarach na faddeuodd Jones byth i Ferenczi am iddo ei seicdreiddio yn y man cyntaf. Y mae'r safbwynt hwn yn enghraifft dda o'r math o esbonio a wneir ar deimladau cleifion gan seicdreiddwyr, ac nid yw'n anodd ei derbyn wrth gofio am annibyniaeth a phersonoliaeth gref Jones.

Ofnai Jones y gallu a oedd gan Jung i ddylanwadu ar Freud, ac erbyn y gyngres ryngwladol a gynhaliwyd ym 1912, yr oedd arwahanrwydd syniadau Jung yn peri gofid mawr i Freud, a'i câi hi'n anodd i ddioddef gwahaniaeth mewn barn ymhlith ei ddilynwyr. Ymosododd Jones yn ffyrnig ar Jung yn un o gyfarfodydd y gyngres, ac ymhen rhai misoedd ymddiswyddodd Jung fel llywydd y Gym-

there in November 1913. Perhaps it was Freud who best summarised Jones's contribution to psychoanalysis in North America by suggesting that he had conquered that continent in as little as four years. His friendship with Freud flourished while he lived in Vienna, but on his advice Jones left for Italy while Loe's treatment continued. The treatment was successful, but their relationship was terminated, and Loe married someone else.

* * * *

Jung had earlier suggested that everyone accepted for training as psychoanalysts should themselves undergo psychoanalysis as an integral part of the undertaking. On Freud's suggestion, Jones went from Italy to Budapest to Sandor Ferenczi (who was himself later psychoanalysed by Freud), where he was treated for an hour twice daily for some months. Later, it became accepted that it was not possible for anyone to be psychoanalysed in such a short space of time, and in 1924, Ferenczi offered to take up the task again, but Jones refused the offer as he was too busy, and saw no valid reason for doing so. He believed himself to be the first psychoanalyst to have accepted Jung's suggestion concerning the analysis of psychoanalysts, and that Freud had suggested that he should do so because he wished to see Jones succeed him as the leader of the psychoanalytical movement. He believed that he had obtained a quality of insight and psychological harmony previously denied to him, and he lost interest in his socialist ideas. He respected Ferenczi greatly, and many years passed before his affection for him turned to hatred. It is possible that it was Ferenczi's closeness to Freud and his later departure from the Freudian group which was responsible for the fundamental change in his attitude towards his former instructor. An interesting suggestion has been made more recently that Jones never forgave Ferenczi for having analysed him in the first place. This represents a fair example of the type of interpretations made on patients' emotional responses by psychoanalysts, and it could be easily accepted on remembering Jones's independence and strong personality.

Jones was fearful of Jung's ability to influence Freud, and by the time of the 1912 international congress, Jung's divergent ideas were causing Freud, who was intolerant of unorthodoxy amongst his followers, a great deal of concern. Jones attacked Jung fiercely in one of the congress meetings, and some months later Jung resigned as President of the International Association, and broke all contact

deithasfa Ryngwladol, a thorrodd ei gysylltiad â Freud yn llwyr. Tua diwedd 1913, dychwelodd Jones i Lundain heb fod ganddo obaith am swydd mewn prifysgol nac ysbyty, a dyna ddechrau cyfnod yr alltudio mawr iddo. Nid oedd ei ddyhead am gael ei gydnabod gan ei hen goleg a chan ei gyd-feddygon ronyn yn llai, ond er i bob un a enillodd radd Doethur mewn Meddygaeth a bathodyn aur o Goleg y Brifysgol, Llundain, gael ei ethol yn Gymrawd o'r Coleg hwnnw yn weddol fuan hyd at ei amser ef, bu'n rhaid iddo aros am bymtheng mlynedd a deugain cyn derbyn yr anrhydedd honno. Y mae'n syndod iddo chwerwi cyn lleied, o ystyried yr hyn a wynebodd yn y dyddiau hynny. Ar wahân i'r diffyg cydnabyddiaeth, bu rhywun wrthi yn lledaenu straeon sarhaus amdano, a holwyd ef gan yr heddlu wedi i'r *Times* ymosod ar ei bapur ar seicoleg ryfel.

Yn fuan wedi iddo ddychwelyd, aeth ati i ffurfio Cymdeithas Seicdreiddiol Llundain, gydag ef ei hun yn llywydd. Yr oedd hon yn fenter arloesol, ac ni allai fod wedi disgwyl cefnogaeth y rhan fwyaf o'r meddygon a weithiai o fewn cyrraedd i'r ddinas. O'r pymtheg aelod cyntaf, pedwar yn unig a weithiai fel seicdreiddwyr, a thorrodd y rhyfel ar draws gwaith y gymdeithas newydd. Am fod rhai o'r aelodau â gogwydd pendant tuag at syniadau Jung, fe ddiddymodd ef y gymdeithas ar ddiwedd y rhyfel, er mawr lawenydd i Freud.

Methodd â chael ei dderbyn i'r lluoedd arfog, a thrwy'r rhyfel byd cyntaf parhaodd â'i waith clinigol, yn enwedig ar y cyflyrau niwrotig a achosir amser rhyfel. Gwnaeth ei orau i gael swydd mewn ysbyty a arbenigai ar drin y doluriau hyn, ond bu'n aflwyddiannus oherwydd ei hanes blaenorol. Ar ôl y rhyfel, deallodd fod Freud wedi tynnu'r un casgliadau ag ef am natur y cyflyrau hyn, er eu bod yn gweithio'n hollol ar wahân, wrth gwrs. Torrwyd ar draws ei gysylltiad agos â seicdreiddwyr Ewrob trwy'r rhyfel, er iddo allu parhau i ysgrifennu atynt yn achlysurol trwy gymorth cyfeillion a drigai mewn gwledydd nad oeddent yn cymryd rhan yn y rhyfel.

* * * *

Ffurfiodd wasg er mwyn hyrwyddo cyhoeddi llenyddiaeth seicdreiddiol, a thua diwedd 1916, cyflwynodd Eric Hiller, a oedd yn gysylltiedig â'r wasg honno, ef i Gymraes ifanc, liwgar ei phersonoliaeth, Morfydd Llwyn Owen. Ganed Morfydd Owen, a oedd dros ddeuddeng mlynedd yn iau nag ef, yn Nhrefforest. Yr oedd ei rhieni yn gerddorion dawnus, a chyfrifai hi Williams Pantycelyn

with Freud. Towards the end of 1913, Jones returned to London without any hope of a hospital or university post, and that was the beginning of his long period of exile. His great longing for recognition by his old college and by his medical colleagues was none the less, but even though all those who had previously obtained the degree of Doctor of Medicine with a gold medal from University College, London, had been elected Fellows of the College soon afterwards, he had to wait for fifty-five years before receiving that honour. It is surprising that he did not become very much more embittered when all that he had to face in those days is considered. Apart from the lack of recognition, someone spread some rather offensive stories about him, and he was questioned by the police after *The Times* attacked his paper on the psychology of war.

Soon after his return, he set about forming the London Psychoanalytical Society, with himself as the president. This was a pioneering venture, and he could not have hoped for the support of the vast majority of the doctors who lived within easy distance of the city. Of the first fifteen members, only four practised as psychoanalysts, and the war cut across the new society's activities. Because some of the members had a definite tendency to favour Jungian ideas, he dissolved the society at the end of the war, to Freud's great joy.

He failed to get accepted for the armed forces, and throughout the first world war he continued with his clinical work, especially on the neurotic states associated with wartime conditions. He tried his best to get a post in a hospital that specialised in treating these states, but was unsuccessful because of his previous history. After the war, he learned that Freud had come to the same conclusion as he had about the nature of these conditions, even though they were working totally apart, of course. His close connection with European psychoanalysts was broken by the war, although he was able to continue writing to them occasionally with the help of friends who lived in neutral countries.

* * * *

He founded a press to promote the publishing of psychoanalytical literature, and towards the end of 1916, Eric Hiller, who was connected with the press, introduced him to a colourful young Welsh lady, Morfydd Llwyn Owen. Morfydd Owen, who was more than twelve years younger than Jones, was born in Trefforest. Her parents were talented musicians, and she counted Williams Pantycelyn and

ac un o sipsiwn Sbaen ymhlith ei hynafiaid. Wedi gyrfa ddisglair yn Adran Gerddoriaeth Coleg y Brifysgol, Caerdydd, dan ofal y Dr. David Evans, enillodd ysgoloriaeth i'r Academi Frenhinol yn Llundain. Yno, cipiodd amryw o'r prif wobrwyon, ac fe'i gwnaed yn is-athro pan oedd yn bedair ar hugain. Cyn iddi ymadael â Chaerdydd, tynasai sylw at ei hunan fel cyfansoddreg, pianydd a chantores, a chredai Jones mai hi oedd y cyfansoddwr mwyaf a gododd Cymru hyd at hynny. Er iddi hi gyfansoddi amrywiaeth o weithiau cerddorol ar gyfer cerddorfeydd, ac unawdau piano a chaneuon, o'i holl gynnyrch, ei gwaith o'r cyfnod cyn iddi symud i Lundain sydd wedi goroesi. Fe gofir amdani yn arbennig fel cyfansoddwr y tonau *William*, *Pen Ucha*, *Trefforest*, a *Richard*, ac yn enwedig *Gweddi'r Pechadur* ar eiriau Thomas William, Bethesda'r Fro—'O'th flaen fy Nuw, rwy'n dyfod', ac am *To our Lady of Sorrows*. Yr oedd yn unawdydd gwych, ac yn aelod selog o Gapel Charing Cross. Bu'n ddyledus i Syr Herbert a'r Foneddiges Lewis am eu croeso iddi a'u gofal amdani. Ar yr amser hwnnw, yr oedd y Foneddiges Lewis yn brysur yn casglu alawon gwerin Cymreig, a bu ei gwaith hi dros y Gymdeithas Alawon Gwerin yn fodd i hybu diddordeb Morfydd mewn canu gwerin.

Priodwyd Morfydd Llwyn Owen ac Ernest Jones yn ddirgel ym mis Chwefror 1917, o fewn rhai wythnosau i'w cyfarfod cyntaf. Oherwydd ei anghrediniaeth ef, ystyriai nad oedd credoau a ffydd ei wraig yn ddim ond arwydd o wendid y gellid ei ddifa a'i oresgyn gydag amynedd ac amser. Y mae ar gael dystiolaeth na fu'r briodas yn hollol hapus oherwydd bod eu gwahaniaethau crefyddol yn gymaint o rwystr. Ni chyfansoddodd ei wraig fawr ddim o bwys ar ôl iddynt briodi, ond ar sail y dystiolaeth sydd ar gael, gormodiaith fyddai dweud fod a wnelo'r briodas â hynny—er nad yw'n annhebyg ei fod wedi gwneud ymgais at ei seicdreiddio hi ar y pryd, gan iddo gredu'n bendant fod ei wraig mewn cyflwr niwrotig. Mesur pellach o'r gwrthwynebiad a wynebai seicdreiddwyr ar yr amser hwnnw yw i'r Foneddiges Lewis wrthod cyfarfod ag Ernest Jones. Fe wnaeth hynny ar gyngor ei brawd yng nghyfraith a oedd yn arbenigwr meddygol yn Llundain, oherwydd iddo ef ystyried fod triniaethau Freud yn ddiwerth, os nad yn beryglus. (Fel y mae'n digwydd, bu iddynt gwrdd un waith—pan aeth Morfydd â'i gŵr i'r capel yn Charing Cross ar fore Sul, ond ni wyddom beth oedd adwaith y naill na'r llall i'r cyfarfod).

Rhyw flwyddyn a hanner ar ôl eu priodas, pan oeddent ar daith i Gymru, trawyd Morfydd yn wael, ac wedi triniaeth lawfeddygol

a Spanish gipsy amongst her ancestors. After a brilliant career in the Music Department at University College, Cardiff, under the tutorship of Dr. David Evans, she won a scholarship to the Royal Academy in London. There, she won several of the major prizes, and she became an Associate Professor when she was twenty-four years old. Before leaving Cardiff, she had drawn attention to herself as a composer, pianist and soloist, and Jones believed that she was the greatest composer that Wales had produced until then. Although she composed a variety of musical works for orchestra, with piano solos and songs, of all her works it is those from her pre-London period that have survived. She is known particularly as the composer of the hymn-tunes *William*, *Pen Ucha*, *Trefforest* and *Richard*, and especially *Gweddi'r Pechadur* to the words of Thomas William, Bethesda'r Fro—'*O'th flaen, fy Nuw, rwy'n dyfod*', and *To our Lady of Sorrows*. She was a superb soloist, and an enthusiastic member of Charing Cross Chapel. She was indebted to Sir Herbert and Lady Lewis for their welcome to her and their care for her. At that time, Lady Lewis was occupied with collecting Welsh folk-songs, and her work for the Welsh Folk-Song Society aroused Morfydd's interest in folk-singing.

Morfydd Llwyn Owen and Ernest Jones were secretly married in February 1917, within weeks of their first meeting. Because of his atheistic views, he considered his wife's beliefs and faith to be nothing more than a sign of weakness which could be eliminated and surmounted with patience and time. There is evidence that the marriage was not altogether happy because of the impeding effect of their religious differences. His wife composed very little of any importance after their marriage, but on the evidence available it would be extravagant to suggest that that was because of their marriage—although it is not at all unlikely that he attempted to psychoanalyse her at the time, as he definitely believed her to be in a neurotic state. A further measure of the opposition which faced psychoanalysts then is shown by Lady Lewis's refusal to meet Ernest Jones. She did so on the advice of her brother-in-law, a London physician, because he considered Freud's treatments to be worthless if not harmful. (As it happened, they did meet once—when Morfydd took her husband to a Sunday morning service at Charing Cross Chapel, but we know nothing of the way in which they reacted to each other).

About a year and a half after their marriage, while they were on their way to Wales, Morfydd was taken ill, and after an operation,

bu farw yn Abertawe ar y seithfed o Fedi, 1918, yng nghartref ei thad yng nghyfraith (a oedd wedi ail-briodi), o fewn rhai wythnosau cyn cyrraedd saith ar hugain oed. Ar ei charreg fedd yn Ystumllwynarth, fe dorrwyd dyfyniad o waith Goethe—*Das unbeschreibliche, hier ist es gethan* (*Yma gwnaethpwyd yr annisgrifiadwy*). Flynyddoedd yn ddiweddarach, fe gyfarfu Mrs. Kitty Idwal Jones (merch i Syr Herbert a'r Foneddiges Lewis) â gwraig yr Athro Flugel, a oedd yn un o gydweithwyr Jones yn y mudiad seicdreiddiol, ac yr oedd hi yn bendant o'r farn na ddylai'r ddau fod wedi priodi yn y man cyntaf am eu bod yn hollol anghytbwys. (Y mae'n glir na wyddai hi ddim am ddoniau Morfydd Llwyn Owen, ond er hynny iddi ei hystyried hi a'i diddordeb mewn canu gwerin braidd yn israddol ei chwaeth o'i chymharu â'r hyn a ddisgwylid wrth un a symudai yn eu cylchoedd hwy—ac wedi'r cwbl, onid oedd y cyfnod ar wawrio pan fyddai'r Gymdeithas Brydeinig yn cysylltu ac yn unioni ei hun â Chylch enwog Bloomsbury?) Ond beth bynnag am farn pobl eraill, yr oedd marwolaeth gynnar ei wraig gyntaf yn ergyd drom i Ernest Jones, ond wedi rhai wythnosau o grwydro'n ddibwrpas o Lundain i Efrog (i gartref yr Ahtro Flugel), ceisiodd ymdopi â'r argyfwng trwy fynd yn ôl at ei waith. Ni fu hynny yn fodd i leddfu ei ing, a chwe mis yn ddiweddarach, ysgrifennodd at Freud—'Rwy'n meddwl am fy annwyl wraig trwy bob munud o'r dydd'.

* * * *

Ar ddiwedd y rhyfel, cysylltodd â'i gyd-seicdreiddwyr yn Ewrop cyn gynted ag y gallodd, ac iddo ef y mae'r clod am weithredu fel dolen gyswllt rhyngddynt er mwyn ailddechrau ar waith y Gymdeithasfa Ryngwladol. Ni fu'n hawdd arno wrth iddo geisio cyrraedd y Cyfandir mor fuan wedi'r rhyfel, ond gyda'i ddyfalbarhad arferol, llwyddodd, ym 1919, i ailgyfarfod â rhai o'i gymrodyr yno, gan gynnwys Hanns Sachs, a roesai heibio ei waith fel cyfreithiwr er mwyn cael bod yn seicdreiddiwr. Tra oedd yno, cyflwynodd Sachs ef i Katherine Jökl, gwraig ifanc o Awstria a oedd wedi symud o Brifysgol Vienna i Zurich i orffen cwrs gradd mewn Economeg. O fewn tridiau, fe'i dyweddïwyd, a phriodasant o fewn tair wythnos wedi iddynt gwrdd yn gyntaf. A dyna ddechrau ar ddeugain mlynedd bron o fywyd priodasol eithriadol hapus. Rhannodd ei wraig ei ddiddordeb ef yn ei waith, ac ni allai fod wedi dewis cymar a oedd yn fwy addas i'w gynorthwyo. Gwerthfawrogai ef ei chymorth parhaol, ac ym 1938, pan ofynnodd Freud am gael cyfieithiad Saesneg o'i lyfr *Moses ac Undduwiaeth*, Mrs. Jones a aeth ati ar frys i wneud hyn, gan nad oedd llawer o obaith y câi Freud wellhad wrth y cancr erbyn hynny.

she died in Swansea on the seventh of September, 1918, in the home of her father-in-law (who had remarried) some weeks before her twenty-seventh birthday. Carved on her gravestone in Oystermouth is a quotation from Goethe—*Das unbeschreibliche, hier ist es gethan* (*Here the indescribable was done*). Many years later, Mrs. Kitty Idwal Jones (Sir Herbert and Lady Lewis's daughter) met the wife of Professor Flugel, one of Jones's colleagues in the psychoanalytical movement, and she took the quite definite view that the two should never have got married because they were incompatible. (It is obvious that she knew nothing of Morfydd Owen's talents, but even so she considered her, with her interest in folk music, to be of rather inferior taste in comparison with what was expected of someone who moved in their circles—and after all, was not the time coming when the British Society would have connections with and identify itself with the famous Bloomsbury Group?). But whatever other people may have thought, his first wife's early death was a severe blow to him, and after some weeks of purposeless wandering from London to York (to Professor Flugel's home), he tried to cope with the crisis by returning to work. That did not succeed in alleviating his distress, and six months later he wrote to Freud—'I think every minute of the day of my dear wife'.

* * * *

At the end of the war, he contacted his fellow-psychoanalysts in Europe as soon as he possibly could, and it is to his credit that he was able to keep in contact with them in order to take up the work of the International Association again. He did not find it easy to get to the Continent so soon after the war, but with his usual persistence he succeeded, in 1919, in re-establishing his contacts with some of his colleagues, including Hanns Sachs, who had given up working as a solicitor in order to become a psychoanalyst. While he was there, Sachs introduced him to Katherine Jökl, a young lady from Austria who had gone from the University of Vienna to Zurich to complete a course in Economics. Within three days, they were engaged, and were married within three weeks of their first meeting. This was the beginning of almost forty years of an exceptionally happy marriage. His wife shared his interest in his work, and he could not have chosen a more suitable marriage partner. He appreciated her continuing help, and in 1938, when Freud asked for his book *Moses and Monotheism* to be translated into English, it was Mrs. Jones who hastily set about doing this, as there was not a great deal of hope that Freud would be cured of cancer.

Wedi i Jones ail-briodi, bu bri arno fel therapydd. Gweithiai, yn ôl ei hen arfer, yn galed anghyffredin, ac er i'r gwrthwynebiad at seicdreiddiaeth barhau, teimlai fod yr hinsawdd ar newid. Ar Ionawr 27, 1919, yr oedd wedi ysgrifennu o Harley Street at Freud gan ddweud 'Saif seicdreiddiaeth ar y blaen o ran diddordeb meddygol, llenyddol a seicolegol . . .' Wythnos yn ddiweddarach, yr oedd ganddo newyddion pwysicach i'w danfon i Vienna—'Yr ydym yn bwriadu ffurfio Cymdeithas newydd y mis hwn . . . bron â bod yn ugain aelod'. Gallai ymffrostio mai ef ei hunan a seicdreiddiodd chwech o'r un aelod ar ddeg cyntaf, a'r tro hwn nid oedd yn debyg o ddioddef unrhyw ymyrraeth wrth-Freudaidd.

Teimlai fod angen rhagor o seicdreiddwyr i ateb y galw cynyddol am eu gwasanaeth, a dyna lle daeth ei ddoniau fel gweinyddwr gofalus a threfnus i'r amlwg. Rheolai'r gymdeithas newydd—Y Gymdeithas Seicdreiddiol Brydeinig—â llaw haearnaidd, a pharhaodd ei afael ar ei gweithgareddau am chwarter canrif, nes iddo roi heibio'r llywyddiaeth ym 1944. Gwrthodai dderbyn fel aelodau unrhyw rai na fyddai wrth ei fodd, a methodd rhai seiciatregwyr enwog amlwg â chael eu derbyn oherwydd iddynt wrthod cael eu seicdreiddio, neu am nad oeddent am roi eu holl amser a'u hegni at wasanaeth seicdreiddiaeth. Y mae lle i gredu iddo wrthod ambell gais am aelodaeth am iddo ofni na fyddai'n parhau i gael ei gydnabod yn ben ar holl weithredoedd y Gymdeithas. Enillodd enw i'w hun fel unben, ac nid oedd hyd yn oed yn fodlon i aelodau o'r Gymdeithas i ddarlithio ar bynciau seicdreiddiol heb iddynt yn gyntaf gael ei ganiatâd. Yr oedd yn athro brwd, ac er cymaint ei amhoblogrwydd gan rai o seicdreiddwyr Llundain, ef, yn anad neb, a greodd gyfundrefn hyfforddi'r Gymdeithas. Bu cyfnod ei lywyddiaeth yn un tyngedfennol yn hanes y Gymdeithas, ac ni bu pall ar ei lafur drosti. Ymdrechodd i greu perthynas agos â disgyblaethau eraill, ac fe dderbyniodd y Sefydliad Anthropolegol Brenhinol ef i'w rengoedd fel Cymrawd mor gynnar â 1926, ar amser pan na chafodd lawer o anrhydeddau tebyg. Rhai misoedd wedi iddo ffurfio'r Gymdeithas Seicdreiddiol, aeth yn gyfrifol am greu isadran feddygol y Gymdeithas Seicolegol Brydeinig, a theimlai fod yr un llwyddiant ac asbri yn nodweddiadol o waith y Gymdeithas honno, a hynny am fod seicdreiddiaeth yn 'gwreiddio'n dda' yno. Ond fe barhâi'r erlid arno: er cymaint ei lafur drosti, methodd y ddau gynnig cyntaf i'w ethol yn Gymrawd Anrhydeddus o'r Gymdeithas Seicolegol Brydeinig.

After Jones had remarried, he developed a reputation as a therapist of some standing. He worked exceptionally hard, as usual, and although the opposition to psychoanalysis continued, he believed that attitudes were beginning to change. On the 27th January, 1919, he wrote to Freud from Harley Street saying 'Psychoanalysis stands in the forefront of medical, literary and psychological interest . . .' A week later, he had more important news to send to Vienna—'We intend to form a new Society this month . . . nearly twenty members'. He could boast that of the first eleven members, he had psychoanalysed six of them himself, and this time he was unlikely to accept any anti-Freudian interference.

He saw the need for more psychoanalysts to meet the increasing demands for their services, and there his skills as a careful and methodical administrator manifested themselves. He ruled the new society—the British Psychological Society—with an iron hand, and he held his grip on its activities for a quarter of a century, until he resigned from the presidency in 1944. He refused to accept as members anyone who failed to meet with his approval, and some well-known psychiatrists failed to get accepted because they themselves had refused to undergo psychoanalysis, or because they did not devote their whole time and energy to the service of psychoanalysis. There are grounds for believing that he occasionally refused requests for membership because he feared that by so doing he would not continue to be recognised as the leader of the Society's activities. He earned himself a reputation as a dictator, and would not even allow members of the Society to lecture on psychoanalytical subjects without first getting his permission. He was a keen teacher, and in spite of his unpopularity amongst some London psychoanalysts, it was he more than anyone who created the Society's training programme. The period of his presidency was a crucial one in the Society's history, and his work on the Society's behalf was unfailing. He attempted to create a close relationship with other disciplines, and as early as 1926 the Royal Anthropological Institution awarded him its Fellowship, at a time when he did not have many similar honours. Some months after forming the Psychoanalytical Society, he became responsible for the formation of the medical sub-section of the British Psychological Society, and he believed that the same success and vitality were characteristic of that Society's activities, and that this was because psychoanalysis was 'taking good root' there. But he continued to be persecuted: in spite of his labours on its behalf, the first two attempts to elect him an Honorary Fellow of the British Psychological Society failed.

* * * *

Yn wyneb yr holl gamfarnu a fu arno, teimlai Freud yn anesmwyth am yr hyn a allai ddigwydd i'w waith ar ôl ei amser ef. Yr oedd Jones yntau yn hollol ymwybodol o arwyddocâd yr ymosodiadau hyn, a rhagwelodd mor gynnar â 1912 yr anghytundeb a gododd rhwng Jung a Freud. Wedi i Adler, Stekel a Jung, a fu cyn hynny yn flaenllaw yn eu cefnogaeth i Freud, ymwrthod â'i syniadau, teimlai Jones fod angen cyfundrefn weinyddol ar raddfa ryngwladol, a wnâi'r tro i ateb unrhyw feirniadaethau pellach a fyddai'n debyg o godi. Ym 1913, awgrymodd y dylid ffurfio'r *Komitee* o bump, ac yn ddiweddarach chwech, seicdreiddiwr blaenllaw, gan gynnwys Freud, ac wrth gwrs, Jones ei hun. Eu prif bwrpas oedd amddiffyn Freud rhag gorfod wynebu dim ymrafael cyhoeddus pellach, gan ateb ar ei ran. Yr oeddent i weithredu'n gyfrinachol, a'r unig amod a roed arnynt oedd nad oeddent i gyhoeddi deunydd na fyddai'n cydsynio â gwaith Freud heb iddynt yn gyntaf ei drafod â'r lleill. Anwybyddodd dau ohonynt (Ferenczi a Rank) yr addewid hwn yn ddiweddarach, heb yn wybod i weddill yr aelodau, er ei bod hi'u bur debyg fod Freud ei hunan yn gwybod am eu cynlluniau. Cysylltent â'i gilydd trwy ddefnyddio *rundbrief* neu gylchlythyr, a bu cyfathrach agos rhyngddynt nes iddynt benderfynu ymhen blynyddoedd y byddai'n fwy addas i drosglwyddo'r gwaith i bwyllgor y Gymdeithasfa Ryngwladol. Fel arwydd o'i ddiolch tuag atynt, fe roes Freud *intaglio* Roegaidd fechan o'i gasgliad i bob un o'r pump (ac i ambell un arall a oedd yn agos ato, gan gynnwys ei ferch, Anna, a Mrs. Katherine Jones), a'r arferiad oedd i'w gosod mewn modrwy aur. Fe ladratawyd modrwy Jones o'i gar, ac fel y sylwodd yr Athro Roazen, y mae'n rhyfedd iddo gadw gwrthrych a ymylai ar fod yn grair cysgredig yn y fath le.

O blith canlynwyr Freud, fe gefnodd sawl un arno oherwydd gwahaniaethau barn ar faterion athrawiaethol. Sylwyd droeon ar y diffyg goddefgarwch a nodweddai berthynas y seicdreiddwyr cynnar. Ni allent dderbyn na allai syniadau un dyn, pa bynnag mor athrylithgar, gwmpasu holl gymhlethdod gweithrediadau'r meddwl dynol. Bu ymlyniad yr ychydig ffyddloniaid, yn arbennig Jones, yn gynhorthwy mawr i Freud, gan i Ferenczi a Rank dorri eu cysylltiad ag ef yn y pen draw.

* * * *

* * * *

From the way in which his work had been misjudged, Freud felt uneasy about what might happen to his work after his day. Jones was only too aware of the significance of these attacks, and as early as 1912 he foresaw the disagreement that arose between Jung and Freud. After Adler, Stekel and Jung, who had previously been prominent in their support of Freud, had discarded his ideas, Jones felt the need for an internationally based administrative system which would serve to answer any further criticisms which were likely to arise. In 1913, he suggested the formation of the *Komitee* of five, and later six, eminent psychoanalysts, including Freud, and of course Jones himself. Their main function was to defend Freud from having to face any further public disputes, and they would make any public declarations on his behalf. They were to function secretly, and the only condition laid down was that no member was to publish any material that did not agree with Freudian theory before discussing it with the others first. Two of them (Ferenczi and Rank) later ignored this promise, without the knowledge of the other members, although it seems quite likely that Freud himself knew of their plans. They kept in contact by means of a *rundbrief* or circular letter, and they maintained a close relationship until deciding after some years that it would be more appropriate to delegate the work to the committee of the International Association. As a token of his thanks to them, Freud gave a small Greek *intaglio* from his collection to each of the five (and to some other close associates, including his daughter, Anna, and Mrs. Katherine Jones), and it was their custom to set the *intaglio* in a gold ring. Jones's ring was stolen from his car and as Professor Roazen has commented, it is surprising that he should have kept an object that bordered on being a sacred relic there.

Of Freud's followers, several deserted him because of differences of opinion on matters of dogma. The lack of tolerance which characterised the relationships of the early psychoanalysts has frequently been commented on. They failed to accept that one man's ideas, irrespective of how talented he might have been, were incapable of encompassing the whole complexity of human mental activity. The loyalty of his few faithful followers, particularly Jones, was a great help to Freud, as Ferenczi and Rank eventually broke off their contact with Freud.

* * * *

Ym 1920, etholwyd Jones yn llywydd y Gymdeithasfa Seicdreiddiol Ryngwladol, ac un o'i orchestion pwysicaf oedd iddo gychwyn y *Cylchgrawn Seicdreiddiol Ryngwladol*, ag ef ei hun yn olygydd. Fe roes yn ddi-baid o'i amser i'r gwaith hwn am bron ugain mlynedd, a llwyddodd â'i ddeheurwydd arferol i orfodi'r seicdreiddwyr Americanaidd i barhau i danysgrifio at ei gylchgrawn ef ar adeg pan ddechreuwyd cylchgrawn yn y wlad honno a ddylai fod wedi bygwth bodolaeth y cylchgrawn rhyngwladol. Ef oedd yr unig un a ailetholwyd yn llywydd y Gymdeithasfa Ryngwladol, ac estynnodd amser ei lywyddiaeth am dros chwarter canrif (1920–24 a 1930–49). Cydnabyddir yn gyffredinol iddo wneud mwy dros y Gymdeithasfa Ryngwladol nag unrhyw un arall, ac er iddo ennill safle fel arweinydd rhyngwladol, bu'r un mor daer â'i waith yn Llundain. Ym 1924, creodd y Sefydliad Seicdreiddiaeth yn Llundain fel cam pellach i gadarnhau'r gwaith arloesol a wnaeth wrth greu'r Gymdeithas Brydeinig. Yn yr un flwyddyn, cychwynnodd ef y Llyfrgell Ryngwladol Seicdreiddiol, ac o dan nawdd y Llyfrgell, cyhoeddwyd cyfres o hanner can cyfrol, gan gynnwys rhai o glasuron mwyaf y maes, tra oedd ef yn olygydd. Ddwy flynedd yn ddiweddarach, bu'n rhannol gyfrifol am greu'r clinic seicdreiddiol cyntaf yng ngwledydd Prydain, a wnaed yn bosibl trwy haelioni un o'i gyngleifion.

Gresynai na chafodd gyfle erioed i hyfforddi Cymro arall fel seicdreiddiwr, ac wrth iddo ail-ennill ei ddiddordeb mewn materion Cymreig, gallodd orfoleddu wrth ddanfon neges at Freud i ddweud wrtho fod darn o farddoniaeth am seicdreiddiaeth wedi'i wobrwyo yn Eisteddfod Genedlaethol Pontypŵl ym 1924. Cyfeirio 'roedd at bryddest fuddugol E. Prosser Rhys, 'Atgof', a wobrwywyd gan yr Athro W. J. Gruffydd, Crwys a Gwili. Yr Athro Gruffydd yn unig a ddefnyddiodd y gair seicdreiddiaeth yn ei feirniadaeth, ac y mae'n disgrifio'r gerdd fel 'un delyneg fawr ar hanfod Personoliaeth yn ei gysylltiad â Bywyd'. Credai Gwili mai 'Cerdd ar Ryw, yn hytrach nag ar atgof' a gafwyd, a phetai wedi ychwanegu 'na seicdreiddiaeth' ni fyddai wedi bod ymhell o'i le. Nid yw'r Athro Gruffydd yn cysylltu'r cyfeiriad amlycaf sydd yn y gerdd at seicdreiddiaeth â'r pwnc hwnnw, am iddo, yn ôl ei air ei hun, fethu â deall y darn hwnnw o'r bryddest. (Y mae'n amlwg na ddarllennodd Jones ddim hyd yn oed y cyfieithiad Saesneg o'r bryddest a gyhoeddwyd. Y mae'n resyn na chafodd fodd i ddarllen llyfr meistrolgar Saunders Lewis ar Bantycelyn a gyhoeddwyd ym 1927, a sylweddoli fod

In 1920, Jones was elected president of the International Psychoanalytical Association, and one of his most important feats was to establish the *International Psychoanalytical Journal*, with himself as editor. He gave endlessly of his time to this work for nearly twenty years and succeeded, with his usual dexterity, to force American psychoanalysts to continue to subscribe to his journal at a time when they had started publishing a journal there that ought to have threatened the existence of the *International Journal*. He was the only one to be re-elected president of the International Association, and his presidency extended over a quarter of a century (1920–24 and 1930–49). It is generally acknowledged that he did more for the International Association than anyone else, and though he won himself a place as international leader, he continued as earnestly with his work in London. In 1924, he inaugurated the Institute of Psychoanalysis in London as a further step to consolidate the pioneering work which he had started with the creation of the British Society. In the same year, he formed the International Psychoanalytic Library, and under its auspices he published a series of fifty volumes, including some of the greatest classics in the specialty, while he was editor. Two years later, he was partly responsible for setting up Britain's first psychoanalytical clinic, which was made possible through the generosity of one of his former patients.

He regretted not having had the opportunity to tutor another Welshman as a psychoanalyst, and as his interest in Welsh affairs was revived, he could rejoice as he sent Freud a message telling him that a prize for a poem on psychoanalysis had been awarded at the National Eisteddfod at Pontypool in 1924. The reference was to E. Prosser Rhys's winning poem, *Atgof* ('Memory'), with Professor W. J. Gruffydd, Crwys and Gwili as adjudicators. Professor Gruffydd alone mentioned psychoanalysis in his adjudication, and he described the poem as 'one great lyric on the essence of Personality in its relation to life'. Gwili wrote that this was 'a poem on sex, rather than on memory', and had he added 'or psychoanalysis', he would not have been far from wrong. Professor Gruffydd failed to recognise the most obvious reference to psychoanalysis in the poem, having not been able to understand its significance, according to his own admission. (It is obvious that Jones did not even read the English translation of the poem that was published. It is tragic that it was not possible for him to read Saunders Lewis's masterly work

Pantycelyn wedi bod wrthi yn trafod syniadau digon 'Freudaidd' eu natur yng Nghymru yn y ddeunawfed ganrif, a bod beirniad llenyddol Cymraeg cyfoes wedi gallu ailddarganfod arwyddocâd yr hyn a ysgrifenasai Pantycelyn).

* * * *

O'i holl gampau gweinyddol, mae'n rhaid mai'r un a gafodd y canlyniad mwyaf niweidiol ar seicdreiddiaeth yn Lloegr oedd y gwahoddiad a roes i Melanie Klein i Lundain i ddarlithio ar ddatblygiad plant, ac yn ddiweddarach i weithio yno. Cyn-athrawes ysgol feithrin oedd Mrs. Klein a hyfforddwyd fel seicdreiddiwr ym Mudapest a Berlin, ac felly, ni fu cysylltiad agos rhyngddi â Freud erioed. Arbenigai hi fel seicdreiddiwr plant, ac achosodd gwahoddiad Jones iddi hi i weithio'n barhaol yn Llundain anesmwythyd i Freud am na chydymffurfiai ei gwaith hi â'i syniadau ef. Yr oedd ei ferch, Anna, wedi datblygu techneg o drin plant a bwysai ar ddaliadau ei thad, a thra na wrthodai Mrs. Klein y rhan fwyaf o osodiadau Freud, bu eu gwahaniaethau yn destun cynnen rhyngddynt. Derbyniai Mrs. Klein blant a oedd mor ifanc â dwy flwydd oed am driniaeth, a dyfeisiodd ffordd o'u seicdreiddio wrth iddynt chwarae. Honnai fod yn rhaid ymestyn yn ôl at wreiddiau'r gormes a'r pryder a oedd yn nodweddiadol o'r cyfnod plentynnaidd, cyn y gellid seicdreiddio plant yn gyflawn. Felly, credai hi fod unrhyw seicdreiddiad Freudaidd yn anghyflawn. Wrth wahodd Mrs. Klein i weithio yn Llundain, gobeithiai Jones y byddai ei dylanwad hi yn gymorth i ddyrchafu rhyw gymaint ar safonau'r Gymdeithas Brydeinig (a gyhuddwyd cyn hynny o fod braidd yn amaturaidd ei safonau er cymaint ymdrechion Jones). Yn ogystal, yr oedd am iddi seicdreiddio ei blant ef ei hun. O ganlyniad i gred Freud fod y derbyniad a roesai Jones i Mrs. Klein wedi esgor ar ymgyrch ar ei ran i ddifrïo gwaith ei ferch Anna, oerodd y berthynas rhwng Freud a Jones dros dro. Nid oedd sail dros y gred hon, ac ni pharhaodd yr amheuon am amser hir—er i Jones barhau i noddi Mrs. Klein yn hael.

Bu marwolaeth ei ferch, Gwenith, yn saith oed, ym 1928, yn ergyd erchyll iddo. Brifwyd ef wrth i Freud gynnig y dylai ymgymryd â gwaith ymchwil yn ymwneud â Shakespeare i leddfu ei alar a theimlai y byddai wedi bod yn well ganddo dderbyn geiriau o gysur na chael y fath gyngor. Ond ni chafodd y naill ddigwyddiad na'r

on Pantycelyn that was published in 1927, and so realise that Pantycelyn had written along 'Freudian' lines in Wales in the eighteenth century, and that a contemporary Welsh literary critic had rediscovered the significance of what he had written).

* * * *

Of all his administrative exploits, it must be that the one that had the most damaging effect on psychoanalysis in England was the invitation which he gave to Melanie Klein to come to London to lecture on child development, and later to work there. Mrs. Klein was a former nursery-school teacher who had been trained as a psychoanalyst in Budapest and Berlin, and had therefore never had close contact with Freud. She specialised as a child psychoanalyst, and Jones's invitation to her to work permanently in London caused Freud some uneasiness as her work did not conform with his ideas. His daughter, Anna, had developed a technique of treating children which depended on her father's beliefs, and while Mrs. Klein did not reject most of Freud's theses, their differences caused some strife between them. Mrs. Klein accepted children as young as two years of age for treatment, and devised a method of psychoanalysing them as they played. She claimed that it was necessary to extend backwards to the origins of the aggression and anxiety that characterised the infantile period, before the psychoanalysis of children was complete. Thus, she believed that Freudian psychoanalysis was necessarily incomplete. By inviting Mrs. Klein to work in London, Jones hoped that her influence would help to raise the standards of the British Society (which had previously been accused of being amateurish, in spite of Jones's efforts). In addition, he wanted her to analyse his own children. As a result of Freud's belief that the reception that Jones had given Mrs. Klein had been associated with a campaign to malign the work of his daughter, Anna, the relationship between Freud and Jones cooled for a time. There was no basis to this belief, and the doubts did not last for long—even though Jones continued generously to patronise Mrs. Klein.

The death of his seven-year-old daughter, Gwenith, in 1928 was a hideous blow to him. He was hurt by Freud's suggestion that he should undertake some research work on a Shakespearian topic to ease his grief, and would have preferred some words of comfort. But neither incident had a permanent effect on his enthusiasm or

llall effaith barhaol ar ei frwdfrydedd na'i weithgarwch fel seicdreiddiwr. (Yn ddiweddarach, ganed iddynt ddau fab a merch arall, Nesta. Y mae'r hynaf o'r meibion, Mervyn Jones, yn newyddiadurwr ac yn nofelydd enwog, a'r mab arall, Lewis, yn gerddor).

Ym 1929, fel canlyniad i'r amheuon a barhâi am effeithiolrwydd seicdreiddiaeth, ffurfiodd y *British Medical Association* bwyllgor i ystyried perthynas yr wyddor honno â meddygaeth. Gyda chymorth ei gyfaill Edward Glover, Jones a gynigiodd dystiolaeth gerbron y pwyllgor. Er mawr foddhad iddo, cydnabu'r pwyllgor fod i seicdreiddiaeth le fel triniaeth ddilys. Ymhellach gwnaed datganiad na ddylid defnyddio'r enw hwnnw ar unrhyw fath arall o dechneg na damcaniaeth ond ar y rheiny a ddisgrifiwyd gan Sigmund Freud. Teimlai Jones mai dyna'r agosaf iddynt ddod at gael siarter arbennig ar gyfer eu gwaith, ac fe anrhegwyd ef gan y Gymdeithas Brydeinig am ei ymdrechion.

Erbyn y tridegau cynnar, yr oedd ei waith yn dechrau dwyn ffrwyth, a daeth diwedd ar yr alltudio a fu'n gymaint o ran o'i fywyd. Ym 1932, derbyniodd wahoddiad gan y B.B.C. i ddarlledu—yn ddi-enw—bedair gwaith ar seicdreiddiaeth. Cyn yr amser hwnnw, fe gyfrifwyd Bertrand Russell ac ef yn rhy anfoesol eu safbwyntiau i allu darlledu, ac y mae'n debyg mai Archesgob Caerefrog a ddarbwyllodd y Gorfforaeth Ddarlledu na ddylid ei wahardd rhag cyfrannu i'w rhaglenni mwyach.

* * * *

Ehangodd ei gysylltiadau rhyngwladol, ac ymgymerodd â chynorthwyo ffurfio cymdeithasau seicdreiddiol mewn gwledydd eraill, a chafodd ei ethol yn aelod anrhydeddus o bump ohonynt am ei ymdrechion. Pan ddechreuodd dylanwad y Natsïaid amlygu ei hun yn yr Almaen, ef a lywyddodd y cyfarfod o Gymdeithas Seicdreiddiol Berlin ym mis Rhagfyr 1933 pan gynigiodd yr ychydig aelodau Iddewig a oedd ar ôl eu hymddiswyddiad er mwyn sicrhau dyfodol y Gymdeithas. Ni wnaeth ymgais at ddisodli Freud wrth i'w safle a'i bwysigrwydd ei hun fel arweinydd rhyngwladol gael ei gadarnhau, a rhaid trin ei berthynas astrus â Freud yn fanylach. O amser eu cyfarfod cyntaf ym 1908, cysylltai ef yn gyson â Freud, a byddai'n ymweld ag ef yn gymharol aml, ar wahân i'r blynyddoedd 1929–34 a'r rhyfel byd cyntaf. Cyfaddefodd wrth Freud iddo deimlo'n

his activity as a psychoanalyst. (Later, two sons and another daughter, Nesta, were born to them. The older of the sons, Mervyn Jones, is a well-known novelist and journalist, and the other son, Lewis, is a composer).

In 1929, as a result of the doubts that persisted as to the effectiveness of psychoanalysis, the British Medical Association set up a committee to consider its relationship to medicine. With the help of his colleague, Edward Glover, it was Jones who presented the evidence to the committee. To his great satisfaction, the committee acknowledged the role of psychoanalysis as an authentic form of treatment. Furthermore, a statement was made that the term should not be used for any other technique or theory apart from those described by Sigmund Freud. Jones believed that that was the closest they ever got to having a charter for their work, and the British Society made a presentation to him for his work.

By the early thirties, his work was beginning to take effect, and the period of his exile, which had been so much a feature of his life, came to an end. In 1932, the B.B.C. invited him to broadcast—anonymously—four times on psychoanalysis. Before then, Bertrand Russell and he had been considered to hold viewpoints that were too immoral to be allowed to broadcast, and it seems that it was the Archbishop of York who convinced the Broadcasting Corporation that he should no longer be prohibited from broadcasting.

* * * *

His international contacts were extended, and he undertook the task of helping to form psychoanalytic societies in other countries, and was elected an honorary member of five of them for his work. As the influence of the Nazis became more obvious, it was he who presided at the meeting of the Berlin Psychoanalytic Society in December 1933 when the few remaining Jewish members offered their resignations in order to ensure the future of the Society. He made no attempt to displace Freud as his own position and importance as an international leader was consolidated, and his special relationship with Freud calls for a fuller examination. From their first meeting in 1908, he kept in constant contact with Freud, and would visit him fairly often, with the exception of the years 1929–34 and the First World War. He admitted to Freud that he felt jealous

eiddigeddus o'r sawl a âi i Vienna er mwyn cael eu seicdreiddio, ond credai fod ganddo ffordd o reoli ei deimladau. Lliwiwyd eu perthynas agos gan ei barch enfawr tuag at ei athro a seiliwyd ar ei gred na chafwyd cyfraniadau i seicoleg tebyg i rai Freud o'r blaen, ac na ellid rhagori arnynt.

Nid oeddent yn debyg o ran personoliaeth, gan na feddai Freud ar y miniogrwydd hwnnw a allai droi yn ddigon aml yn faleisdra wrth i Jones ymwneud â'i gymheiriaid. Gŵr byr, gwelw yr olwg (o'r dolur anghyffredin a etifeddasai o ochr ei fam o'r teulu) oedd Jones. Ar un adeg, cyffelybodd Freud ef i'r '*lean and hungry Cassius*', ond yr hyn a drawodd y rhan fwyaf o'r rhai a oedd yn ei adnabod oedd ei fywiogrwydd parhaus, ei egni amlwg a'i anallu i ddioddef unrhyw fân siarad. Ymfalchïai iddo ddod, trwy ddamwain, at waith mawr ei fywyd trwy astudio'r un pynciau â Sigmund Freud yn yr un drefn ag ef, sef meddygaeth, niwroleg (gan gymryd diddordeb arbennig yn noluriau'r lleferydd), ac athroniaeth. Tueddai Freud i fagu rhagfarnau yn erbyn pobl a ddeuai o gefndir gwahanol iddo, ac yn sicr ni wnaeth ymdrech i guddio'r ffaith iddo ffafrio rhai o'i hoff 'feibion' eraill ar brydiau, a hynny yn aml ar draul Jones. Ni theimlai Jones fawr o anfantais oherwydd hynny, eithr credai i Freud ei rwystro rhag cynhyrchu gwaith creadigol o bryd i'w gilydd. Ond ni surodd yn ei agwedd fel yr âi'r blynyddoedd heibio, a daeth Freud i ddibynnu arno'n fwyfwy gan ddanfon cleifion ato am driniaeth, hyd yn oed.

Gwahaniaethent o ran techneg seicdreiddiol. Yr argraff a adawyd oedd fod Jones braidd yn anhyblyg a diŵyro ei dechneg tra oedd Freud yn llai pendant am yr hyn y gellid ei ystyried yn dechneg seicdreiddiol gywir. Ymddangosai fel petai Jones yn methu bod yn wirioneddol feirniadol o Freud, ac fe awgrymwyd o dro i dro ei fod yn sianelu ei holl deimladau gwrthun ato i gyfeiriad ei gydweithwyr eraill. Proffwydodd ei fam y byddai miniogrwydd ei dafod yn peri trafferth iddo rywbryd, ac fe wyddys y gallai ei agwedd finiog at ei gyfeillion ymylu ar atgasedd.

Yr *oedd* gwahaniaethau rhyngddo â Freud, ond rhai cymharol ddibwys oeddent, ac fe leisiwyd barn ei fod ef wedi eu chwyddo yn bwrpasol i geisio dangos pa mor oddefgar y gallai Freud fod. Y mae natur ei anghytundebau damcaniaethol â Freud y tu hwnt i faes y llyfr hwn, ond fe darddent, ar y cyfan, o duedd Jones i chwilio am achosion bywydegol ('mewnol') am eglurhad ar ffenomenau seicolegol, tra pwysleisiai Freud bwysigrwydd amgylchiadau allanol. Y mae'n debyg i'w gwahaniaethau gweinyddol (nad oeddent heb

of those who went to Vienna to be psychoanalysed, but believed that he was able to control his emotions. Their close relationship was conditioned by his great respect for his teacher based on his belief that there had been no previous contributions to psychology which equalled Freud's and that they could not be improved on.

Their personalities were not similar, and Freud did not possess that sharpness which could so often turn into malice in Jones's relationships with his colleagues. Jones was short and pale (from the uncommon disease which he had inherited from his mother's side of the family). At one time, Freud compared him to the 'lean and hungry Cassius', but most of those who knew him were struck by his perpetual liveliness, his obvious energy and his intolerance of small talk. He was proud to have come, quite accidentally, to his life's work after studying the same subjects as Freud in the same order, namely medicine, neurology (with a special interest in speech disorder), and philosophy. Freud tended to be prejudiced against people of different backgrounds to his own and would frequently show his approval of some of his other favourite 'sons' at Jones's expense. Jones did not feel at a disadvantage because of that, but he did believe that Freud occasionally prevented his carrying out original research work. But this did not have an embittering effect on him, and Freud came to rely to a greater extent on him, even to the extent of referring patients to him for treatment.

They differed in their approach to psychoanalytical technique. The lasting impression left of his technique is that he was rigid and unyielding while Freud was less definite about what could be considered to be correct technique. It appeared as though Jones was unable to be truly critical of Freud, and it has occasionally been suggested that he sublimated his offensive feelings for Freud towards his other co-workers. His mother predicted that the sharpness of his tongue would cause him trouble at some stage, and it is known that his incisive attitudes towards his colleagues could border on hatred.

There *were* differences between him and Freud, but they were comparatively trivial, and it has been said that he deliberately magnified them in order to demonstrate Freud's tolerance. The nature of his theoretical differences with Freud are beyond the scope of this book but, on the whole, they arose from Jones's tendency to seek biological ('internal') causes as an explanation for psychological phenomena, while Freud emphasised the importance of external events. It seems that their administrative differences

eu cysylltu â'u gwahaniaethau damcaniaethol, wrth gwrs) fod yn bwysicach o bell ffordd. Er pwysiced ei gefndir meddygol, ofnai Freud y byddai dylanwad meddygaeth yn rhwystro datblygiad seicdreiddiaeth. Credai y dylid gwahaniaethu rhwng y ddwy ddisgyblaeth, ac nad oedd meddygaeth yn wyddor addas i'w hastudio cyn arbenigo fel seicdreiddiwr. I'r gwrthwyneb, gwrthodai seicdreiddwyr yr Unol Daleithiau dderbyn myfyrwyr nad oeddent yn feddygon ar gyfer eu hyfforddi, ac estynnodd y gwahaniaeth barn hwn ei gysgod dros sawl cynhadledd ryngwladol. Enillodd Jones barch uchel am ei allu i gadw'r ddysgl yn wastad rhwng y ddwy garfan wrth lywio'r trafodaethau yn y Gymdeithasfa Ryngwladol.

Ni chafodd seicdreiddiaeth amddiffynnydd grymusach erioed, a daeth arno fri fel dadleuwr miniog a threiddgar—yn wir, dywedai Edward Glover amdano na wyddai am neb ac eithrio Bertrand Russell a allai arddel y fath rymuster wrth gyflwyno syniadau newydd. Ond wrth amddiffyn Freud gallai Jones resymoli gystal â neb: nid oes ond rhaid cofio'r hyn a ddywedodd am y sawl a ymwahanodd oddi wrth Freud i sylweddoli hyn. Wrth i Adler fynegu barn a oedd yn wahanol, mynnai Jones fod ei agwedd tuag at ei gyn-gydweithwyr wedi troi yn nawddogol. Dioddefai Jung o'r ffenomenon ddiddorol ac anghyffredin honno lle y collodd yr holl hunan-ddealltwriaeth a enillasai pan oedd yn cydweithio â Freud. Haerai mai datblygu tostrwydd meddyliol difrifol a wnaeth Ferenczi a Rank wrth iddynt hwy wrthgilio. Fe ddatblygodd y syniad mai Sigmund Freud oedd Darwin y byd seicolegol, a dymunai hyd at syrffed am gael ei gofio fel yr un a ategodd at waith Freud yn yr un modd ag a wnaeth T. H. Huxley â gwaith Darwin. Mewn darlith i goffáu canmlwyddiant geni Freud ym 1956, gwahaniaethodd yn glir rhwng athrylith ar y naill law a disgleirdeb ymenyddol eithriadol ar y llaw arall. Yn y ddarlith honno, bu'n ddigon gwylaidd i gydnabod na feddai ar athrylith Freud wrth iddo ddwyn i gof yr hyn a ddywedodd Huxley wrth ddarllen am waith Darwin am y tro cyntaf—'Dyna dwp yr oeddwn i beidio â meddwl am hynny'.

* * * *

Dechreuodd gyhoeddi ffrwyth ei waith ymchwil yn gynnar yn ystod ei yrfa, ac erbyn diwedd ei oes, yr oedd wedi ysgrifennu tua thri chant o erthyglau a deuddeg llyfr. Y mae iddo le parhaus fel yr un a wnaeth fwy na neb arall i esbonio ac egluro damcaniaethau Freud trwy gyfrwng yr iaith Saesneg. Meddai ar arddull eglur a

(which were not unconnected to their theoretical differences, of course) were more important by far. Notwithstanding the importance of his medical background, Freud feared that the influence of medicine would hinder the development of psychoanalysis. He believed that the two disciplines should be separated, and that medicine was not a suitable subject to study before specialising in psychoanalysis. On the contrary, American psychoanalysts refused to accept non-medical students for training, and this difference of opinion overshadowed several international conferences. Jones won for himself a great deal of praise for his ability to compromise between the two factions with his skilful steering of the discussions on this subject at the International Association.

Psychoanalysis never had a more forceful defender, and he acquired a reputation as a keen and penetrating debater—indeed, Edward Glover said of him that, with the exception of Bertrand Russell, he knew of no one who could introduce new ideas with the same vigour. But in defending Freud, Jones could rationalise as well as the next: one only has to recall his expositions on those who separated from Freud to realise this. When Adler dissented, Jones insisted that he had developed a patronising attitude towards his former collaborators. Jung suffered from that interesting and uncommon phenomenon of losing all the insight which he had gained when he was working with Freud. He insisted that Ferenczi and Rank developed severe mental illnesses when they withdrew. He developed the idea that Sigmund Freud was the Darwin of the world of psychology, and his wish to be remembered as one who held the same relationship to Freud as T. H. Huxley did to Darwin, reached insatiable levels. In a lecture to commemorate the centenary of Freud's birth in 1956, he distinguished clearly between genius on the one hand and exceptional intellectual ability on the other. In that lecture, he was humble enough to acknowledge that he did not possess Freud's genius by quoting what Huxley had said on first reading Darwin's work—'how extremely stupid of me not to have thought of that'.

* * * *

He started to publish the results of his research work early in his career, and by the end of his life had written about three hundred papers and twelve books. He has gained for himself an enduring place as the one who did more than anyone else to interpret and explain Freud's work through the medium of English. He possessed

thrawiadol, ac erys sawl cyhoeddiad o'i eiddo, fel ei waith ar resymoli, fel clasuron cydnabyddedig. Gorfu iddo wynebu beirniadaeth hallt fel awdur o dro i dro, yn enwedig am ei waith ar Hamlet (a darddodd oddi wrth awgrym a wnaed gan Freud), ac am rai o'i gyhoeddiadau a oedd yn ymwneud ag anthropoleg. Dywedai ei feirniaid am ei gynnyrch llenyddol mai dynwared ei feistr y byddai gan amlaf, ac na cheir yr un gwreiddioldeb a chlirder gweledigaeth a gaed yng ngwaith Freud, yn ei draethodau clinigol. A bod yn deg ag ef, y mae'n hollol amlwg na wnaeth ymgais at wneud dim byd yn fwy na bod yn ddehonglydd i waith Sigmund Freud.

Fe ddywedir yn aml mai ei waith llenyddol godidocaf oedd ei gofiant arwrol i Sigmund Freud. O fewn y pymtheg can tudalen a geir yn y tair cyfrol, y mae'n trafod yn fanwl nid yn unig fywyd Freud ond hanes datblygiad yr wyddor y treuliodd ef ei oes yn ei hastudio. Gellir edrych ar y cyfrolau hyn fel crwsâd olaf Ernest Jones ar ran seicdreiddiaeth. Gwrthwynebai Freud y syniad o gael cofiant iddo'i hun o gwbl, a thra oedd Jones yn ysu am gael ymgymryd â'r gwaith, ceisiodd roi'r argraff mai cael ei wahodd at y gwaith a wnaeth. Amcangyfrifodd y cymerai hi ddeng mlynedd iddo, ond gorffennodd ef mewn dwy flynedd yn llai na hynny, a chyhoeddwyd y tair cyfrol rhwng 1953 a 1957. Trwythodd ei wraig ac ef eu hunain ym manylion bywyd Freud i'r fath raddau fel y byddent yn gallu chwarae gêmau wedi eu seilio ar gynnwys y cofiant gan wybod, gan amlaf, beth yn union yr oedd Freud yn ei wneud ar ddyddiau arbennig dros gyfnod maith.

Cafodd y cofiant dderbyniad gwresog, er iddo gael ei feirniadu'n llym ar yr un pryd. Tueddai i orfawrygu Freud gan roi golwg ar fywyd ei arwr mawr a oedd yn rhy anfeirniadol. Yn rhyfedd, ni allodd osod Freud yn ei le priodol ymhlith y meddylwyr a oedd yn raddol wedi datblygu'r syniad o fodolaeth yr isymwybod. Yn sicr, dyna'r un agwedd ar waith Freud *nad* oedd mor wreiddiol ei ansawdd ag y tybiai ei gofiannydd. Eto, y mae'n syndod iddo fod mor anghyson wrth ddarlunio Freud fel un a gyrhaeddodd gyflwr o aeddfedrwydd seicolegol—beth bynnag yw ystyr y geiriau hynny—erbyn iddo gyrraedd pump a deugain, ond eto fe rydd i ni ddisgrifiad gweddol fanwl o dueddiadau niwrotig amlwg Freud.

Ond er cymaint gwendidau'r cofiant, y mae'r rhan honno sydd yn rhoi hanes blwyddyn a hanner olaf bywyd Freud yn cyfiawnhau'r gosodiad mai ef oedd y cofiannydd gorau y gallai Freud fod wedi ei

Y 'Komitee' - Berlin, 1922 - The 'Komitee'
Yn eistedd / Sitting: Freud, Ferenczi, Sachs
Yn sefyll / Standing: Rank, Abraham, Eitingon, Jones

Freud gyda'i ferch, Mathilde Hollitscher, Ernest Jones a Lucie Freud, 1938
Freud with his daughter, Mathilde Hollitscher, Ernest Jones and Lucie Freud, 1938

a clear and striking style, and several of his publications, such as his work on rationalisation, are acknowledged classics. He had to face the most scathing criticism as an author from time to time, especially for his work on Hamlet (which was developed from an idea of Freud's), and for some of his work that was related to anthropology. His critics would say of his written works that they were mere imitations of his master's writings, and that his clinical papers did not possess the same originality and clarity of vision as Freud's. In fairness, it is perfectly obvious that he never attempted to be anything other than an exponent of Freud's work.

It is often said that his most superb literary work was his heroic biography of Sigmund Freud. Within the fifteen hundred pages found in its three volumes, he discusses in detail not only Freud's life but the development of the discipline which he spent his life studying. These volumes can be looked at as Ernest Jones's last crusade on behalf of psychoanalysis. Freud resisted the idea of having his biography written, and while Jones longed to undertake the task, he tried to give the impression that he was invited to take on the work. He estimated that it would take him ten years; it was completed in two years less than that, and the three volumes were published between 1953 and 1957. His wife and he steeped themselves in the details of Freud's life-history to the extent that they could play games based on the contents of the biography, and they could largely remember what Freud would have been doing on any particular day over a period of many years.

The biography got an enthusiastic welcome, although it was also severely criticised at the time. He tended to over-praise Freud and produced a view of his hero's life which was too uncritical. Surprisingly, he failed to place Freud in his proper place as one of a series of thinkers who had gradually developed the idea of the existence of the unconscious. This was certainly one of the aspects of Freud's work that was *not* as original as his biographer believed it to be. Again, it is surprising that he could have been inconsistent enough to describe Freud as having attained a state of psychological maturity—an ambiguous concept—by the time he was forty-five years of age, and yet provide a fairly detailed account of Freud's obvious neurotic tendencies.

But in spite of the biography's weaknesses, the section which deals with the last eighteen months of Freud's life justifies the assertion that he was the best biographer that Freud could have had. As the

gael. Fel y cynyddai grym cyfundrefn Hitler, rhagwelodd Jones y byddai bywydau Freud a'i deulu yn debyg o gael eu peryglu. Pan ddarganfu Freud i'r Natsïaid losgi ei lyfrau, fe ddywedodd—mewn ffordd a oedd yn ddigon nodweddiadol ohono—fod hyn yn welliant, gan y byddent wedi ei losgi *ef ei hun* yn y Canol Oesoedd. Felly, ni chredai, am amser maith, fod unrhyw niwed gwirioneddol iddynt fel teulu, ond sylweddolai Jones y byddai'n rhaid gweithredu ar eu rhan, pan ymwelodd â hwy yn Vienna ym 1934. Wrth i'r Natsïaid feddiannu Awstria ym mis Mawrth 1938, teimlai Jones y byddai'n rhaid iddo symud yn union. Er iddo wybod fod taith beryglus o'i flaen, penderfynodd mai ei unig obaith o fod o unrhyw gymorth oedd trwy ymweld â Vienna ei hun. Yn ddïau, dyma'i weithred ddewraf erioed, oherwydd dwy flynedd yn gynt, wrth areithio o Gadair y Gyngres Ryngwladol, soniodd am Czechoslovakia fel ynys rydd a oedd wedi'i hamgylchynu gan wladwriaethau totalitar-aidd. O ganlyniad, fe'i rhestrwyd gan y Natsïaid fel un a oedd i'w ladd cyn gynted ag y cyraeddasent hwy Loegr. Er iddo wybod hynny, yr oedd y daith i Vienna yn anorfod iddo. Ni allai gymryd awyren yn syth yno, felly bu'n rhaid iddo hedfan i Prague yn gyntaf. Yno, llwyddodd i hurio awyren fach ar gyfer y daith i Vienna.

Cafodd fod y goresgyniad wedi mynd yn ei flaen yn ddirwystro. Ymwelodd â'i chwaer yng nghyfraith yn gyntaf, ac aeth oddiyno i'r *Verlag*, yr argraffdy seicdreiddiol a sylfaenwyd ym 1919 gan Freud, ac y daeth Jones yn un o'i gyfarwyddwyr. Eisoes, yr oedd mab i Freud, Martin, a ofalai am yr argraffdy, wedi'i restio. Wedi i Jones geisio siarad â'r awdurdodau yno, fe'i rhwystrwyd ef rhag ymadael am beth amser. Ar ôl iddo gael ei ryddhau, aeth i gartref Freud, a chafodd fod aelodau'r S.A. yno. Ar y cyfle cyntaf, ceisiodd argyhoeddi Freud—a oedd, wrth gwrs, yn bedwar ugain a dwy—fod llawer o bobl ar draws y byd a oedd yn pryderu amdano, a cheisiodd gael perswâd arno fod yn rhaid gwneud ymgais i'w ryddhau.

O'r tri anhawster a wynebai Jones—ceisio cymell Freud i ymadael â'i gartref a'i wlad, perswadio'r Natsïaid i'w ryddhau, ac annog y llywodraeth yn Llundain i'w dderbyn—credai mai'r anhawsaf o'r tri oedd y cyntaf. Wedi iddo oresgyn yr anhawster hwnnw, ac yn enwedig am i un arall o ddisgyblion selocaf Freud, Marie Bonaparte, Tywysoges Groeg, gyrraedd Vienna, ymadawodd Jones er mwyn dechrau'r trafodaethau gyda'r awdurdodau yn Llundain. Dylan-wadodd llysgennad yr Unol Daleithiau yn Ffrainc, W. C. Bullitt, ar yr Arlywydd Roosevelt i sicrhau na niweidid Freud na'i deulu

power of Hitler's system increased, Jones foresaw that the lives of Freud and his family would certainly be threatened. When Freud discovered that the Nazis had burned his books, his comment was—in a style that was typical of him—that this represented an improvement, as they would have burned *him* in the Middle Ages. Therefore, he failed to believe for a considerable time that any true danger could come to them as a family, but Jones realised that some action on their behalf would need to be taken, when he visited them in Vienna in 1934. When the Nazis invaded Austria in March 1938, Jones felt that he would have to act immediately. Although he knew that the journey ahead of him was dangerous, he decided that his only hope of helping them lay in his visiting Vienna. Undoubtedly, this was his bravest act ever, for two years previously, from the chair of the International Association, he had mentioned Czechoslovakia as being a free island surrounded by totalitarian states. As a result his name was listed by the Nazis as one who was to be killed as soon as they reached England. Even though he knew this, the journey to Vienna was unavoidable for him. He could not get directly there, and therefore had to fly to Prague first. There, he succeeded in hiring a small aeroplane for the journey to Vienna.

He found that the invasion had gone ahead unopposed. First, he visited his sister-in-law, and from there he went to the *Verlag*, the psychoanalytical publishing-house founded by Freud in 1919, of which Jones later became one of the directors. Already, one of Freud's sons, Martin, who was responsible for the press, had been arrested. After Jones attempted to talk to the authorities there, he was prevented from leaving for some time. After he was released, he went to Freud's home to find that there were members of the S.A. there. As soon as was possible, he tried to persuade Freud—who was, of course, eighty-two—that many people from all over the world were concerned about him, and he tried to persuade him that an attempt had to be made to free him.

Of the three difficulties which faced Jones—trying to persuade Freud to leave his home and country, persuading the Nazis to release him, and urging the government in London to accept him—he believed that the most difficult would be the first. After surmounting that difficulty, and especially after another of Freud's most enthusiastic disciples, Marie Bonaparte, Princess of Greece, had reached Vienna, Jones left to begin the negotiations with the authorities in London. The American ambassador in Paris, W. C. Bullitt, influenced President Roosevelt to ensure that neither Freud nor his

tra oeddent yn disgwyl am newyddion o Lundain. Yr oedd Jones yn lled gyfarwydd â'r Ysgrifennydd Cartref ar y pryd, Syr Samuel Hoare, am eu bod ill dau yn aelodau o'r un clwb sglefrio. Ond gwyddai y byddai'n rhaid iddo wrth ddylanwad trymach na hynny er mwyn ennill cydymdeimlad a chefnogaeth y llywodraeth. Gan fod Freud wedi ei ethol yn Aelod Gohebol o'r Gymdeithas Frenhinol ddwy flynedd yn gynt, gofynnodd Jones i Wilfred Trotter, a oedd yn aelod o Gyngor y Gymdeithas Frenhinol, am lythyr i'w gyflwyno i Lywydd y Gymdeithas, Syr William Bragg, y ffisegwr. Cafodd gydymdeimlad Bragg a bu Syr Samuel Hoare yn barod ei gymwynas, a thri mis yn ddiweddarach cyrhaeddodd Freud a'i deulu Lundain ynghyd â rhai gwasanaethyddion a'i feddygon. Yno yn eu disgwyl yr oedd Jones. Iddo ef, yn ddiau, y perthynai'r rhan fwyaf o'r clod am allu sicrhau fod ei hen athro am gael treulio ei ddyddiau olaf yn rhydd o'r bygythiadau a'i wynebodd yn ei wlad ei hun. Hoffai Jones adrodd yr hanes am y datganiad y bu'n rhaid i Freud ei arwyddo cyn ei ryddhau, i ddangos na chafodd ei gamdrin gan y Natsïaid. Wedi iddo arwyddo'r ddogfen, ychwanegodd Freud at y datganiad yn ei ffordd gellweirus y frawddeg— 'Gallaf gymeradwyo'r Gestapo yn gynnes i unrhyw un'.

Yn ystod yr amser yr oedd Jones yn Vienna ym 1938, a chyn hynny, derbyniasai lawer o geisiadau gan seicdreiddwyr Iddewig eraill a'u teuluoedd am gynhorthwy i gyrraedd Lloegr. Yn y pen draw, cafodd tua hanner cant ohonynt loches naill ai yn Lloegr neu'r Unol Daleithiau am iddo ef hyrwyddo eu hymdrechion i ddianc o'r Almaen ac Awstria, ac eto, wrth iddynt gyrraedd Llundain ar ddiwedd y Gyngres Ryngwladol a gynhaliwyd ym Mharis ym mis Awst 1938, Jones a'u croesawodd. Ychwanegodd hyn oll at ei ddyletswyddau arferol, a bu'n fawr ei ofal dros deulu Freud hyd at ac ar ôl amser ei farwolaeth ar Fedi 23, 1939. Rhai diwrnodau cyn hynny, danfonwyd am Jones i ymweld am y tro olaf â'r gŵr a drawsnewidiodd gymaint ar ei fywyd, ac ar gais y teulu, ef a draddododd yr anerchiad angladdol.

Er bod llawer o'r seicdreiddwyr a ddaeth o'r Almaen ac Awstria wedi symud i'r Unol Daleithiau yn weddol fuan, arhosodd eraill yn Llundain. Gyda'u dyfodiad hwy, fe grëwyd problemau i'r Gymdeithas Seicdreiddiol Brydeinig, gan i lawer o'r newydd-ddyfodiaid deimlo fod safonau'r Gymdeithas yn is nag a ddisgwylient. Gyda dyfodiad yr ail ryfel byd, a'r niwed a achoswyd i'w cartref yn Llundain, symudodd Jones a'i deulu i'r bwythyn yn Sussex a brynwyd ganddo ym 1917, ac a ehangwyd ym 1935 dan oruchwyliaeth un arall o feibion Freud, Ernst. Parhaodd â'i waith clinigol

family would be harmed while they were awaiting news from London. Jones knew the Home Secretary, Sir Samuel Hoare, slightly, as they were both members of the same skating club. But he knew that he would need to use more influence than that in order to get the government's sympathy and support. As Freud had been elected a Corresponding Member of the Royal Society two years earlier, Jones asked Wilfred Trotter, who was a member of the Council of the Royal Society, for a letter of introduction to the Society's President, Sir William Bragg, the physicist. Bragg was sympathetic and Sir Samuel Hoare was ready to help, and three months later Freud and his family, with some servants and his doctors, arrived in London. There to meet them was Jones. Undoubtedly, most of the praise for having ensured that his old teacher could spend the rest of his days free from the threats that had faced him in his own country was Jones's. He was fond of repeating the account of the statement which Freud had to sign before he was released, to show that he had not been ill-treated by the Nazis. After signing the document, Freud added in his rather droll way—'I can heartily recommend the Gestapo to anyone'.

During the time that Jones was in Vienna in 1938, and before then, he had received many requests from other Jewish psychoanalysts and their families for help to reach England. In the end, about fifty of them obtained asylum either in England or the United States as a result of his facilitating their efforts to escape from Germany and Austria, and again, as they reached London after the International Congress which was held in Paris in August 1938, it was Jones who welcomed them. All this added to his ordinary duties, and his devotion towards Freud's family until and after the time of his death on the 23rd September, 1939, was considerable. Some days before then, Jones was sent for to visit for the last time the man who had transformed his life to such an extent, and at the family's request, it was he who delivered the funeral address.

Although many of the psychoanalysts who came from Germany and Austria migrated to America soon afterwards, others stayed in London. With their arrival, new problems were created for the British Psychoanalytical Society, as many of the newcomers thought that the Society's standards were lower than they had expected. With the coming of the Second World War, and the damage caused to their house in London, Jones and his family moved to the Sussex cottage which he had bought in 1917 and which had been enlarged in 1935 under the supervision of another of Freud's sons, Ernst. He

oddi yno trwy flynyddoedd y rhyfel ac wedi hynny, ond ym 1944, ymddiswyddodd o lywyddiaeth y Gymdeithas Seicdreiddiol Brydeining.

Fel y sylwyd eisoes, creodd dyfodiad Melanie Klein, a'i phersonoliaeth gref, argyfwng yn hanes y Gymdeithas Brydeinig, a thua'r amser yr oedd Jones yn rhoi'r gorau i'r llywyddiaeth, bu'r hollt mwyaf ymhlith ei haelodau. Y mae'n amhosibl credu y byddai efe wedi dioddef y fath ymrafael, ond fe awgrymwyd mai ymddeol a wnaeth am na allai bellach reoli'r gynnen a gododd rhwng y gwahanol garfannau. Credai llawer o'r aelodau i'w ddylanwad fod yn ormesol, a chrëwyd cyfundrefn weinyddol i'r Gymdeithas a oedd llawer yn fwy democrataidd wedi iddo ymddeol ym 1944. Eithr, ni ellir gwadu iddo fynnu cael safonau gyda'r uchaf a oedd ar gael, ac nid oes ryfedd iddo sôn ymhen blynyddoedd am y Gymdeithas fel 'fy nghymdeithas addawol i'.

Ni roes y gorau i weithio wrth 'ymddeol', a daliodd at ei waith clinigol ar radd a oedd yn llai, gan barhau â'i ysgrifennu, ac â golygyddiaeth y Llyfrgell Seicdreiddiol Ryngwladol hyd nes y cyhoeddwyd yr hanner canfed gyfrol dan nawdd y Llyfrgell. Ond yn naturiol ni fu yr un mor brysur ag o'r blaen, a chafodd lawer iawn mwy o amser ar gyfer darllen. Bu'n ddarllenwr mawr erioed, ond anaml y byddai'n darllen unrhyw fath o ffuglen, ac yr oedd yn dra dirmygus o hoffter Freud o wneud hynny. Parhaodd â'i ysgrifennu am gyfnod hir, a threuliai lawer o'i amser yn garddio. Ym 1946, anrhegwyd ef gan y Gymdeithas Brydeinig fel gwerthfawrogiad o'i lafur ar ei rhan, a derbyniodd lun olew ohono'i hun a baentiwyd gan Rodrigo Moynihan, ac fe gedwir y llun yn yr ystafell a enwyd ar ei ôl ef yng nghanolfan y Sefydliad Seicdreiddiol.

Mor gynnar â 1919, wrth ysgrifennu at Freud, yr oedd yn ymddiheuro am ei anallu i deipio cystal ag yr hoffai oherwydd ei fod yn dioddef o gryd cymalau. Bu'n poeni am dros ddeugain mlynedd, ond blwyddyn cyn iddo ymddeol, fe benderfynwyd ei fod yn dioddef o ddolur anghyffredin yr oedd wedi ei etifeddu o ochr ei fam o'r teulu, ac y mae'n bur debyg mai hyn a achosai'r poenau cyson a briodolwyd ganddo i gryd cymalau. Ar ben hynny, cawsai boen cyson dros flynyddoedd maith oddi wrth haint ar ei glust, ac ym 1947, cafodd bwl o ddolur y galon. Ni rwystrodd hynny ef rhag parhau â'i fwriad o ysgrifennu'r cofiant i Freud, ac aeth ymlaen fel llywydd y Gymdeithasfa Ryngwladol hyd at 1949, gan

continued with his clinical work from there throughout the war and after that, but in 1944 he resigned from the presidency of the British Psychoanalytical Society.

As has already been mentioned, the arrival of Melanie Klein, with her assertive personality, brought about a crisis in the history of the British Society, and it was towards the time that Jones gave up the presidency that the greatest rift in the Society's history occurred. It is inconceivable that he would have accepted such bickering, but it has been suggested that he retired because he was no longer able to control the strife that had arisen between the various factions. Many of the members believed that his influence had been oppressive, and the whole administrative structure of the society was made more democratic after his retirement in 1944. However, it cannot be denied that he insisted on having standards that were as high as it was possible to attain, and it is not surprising that after some years he should refer to the Society as 'my promising society'.

He did not finish working after 'retiring', and kept on with his clinical work to a lesser extent, but he continued with his writing, and with the editorship of the International Psychoanalytical Library until the fiftieth volume had been produced under its auspices. But, naturally, he was not as busy then, and had far more time to read. He had always been a great reader, but he rarely read any fiction, and was very scornful of Freud's fondness of doing so. He continued to write for a long time, and spent much of his time gardening. In 1946, he was presented by the British Society with an oil painting of himself painted by Rodrigo Moynihan, in appreciation of his services, and the painting is kept in the room named after him at the Institute of Psychoanalysis.

As early as 1919, on writing to Freud, he had apologised for his inability to type as well as he would have wished because he was suffering from rheumatism. He suffered for more than forty years, but a year before he retired, he was found to be suffering from a rare disease which he had inherited from his mother's side of the family, and it is highly likely that it is this that caused the pains which he had attributed to rheumatism. He had also suffered for many years from pains which occurred after an ear infection, and in 1947 he developed coronary thrombosis. That did not impede him from continuing with his intention of writing Freud's biography, and he continued as president of the International Association until 1949,

dreulio cyfanswm o un mlynedd ar hugain yn y swydd. Fe'i gwnaed yn Llywydd Anrhydeddus, a chymerodd ddiddordeb byw yng ngwaith pwyllgor gweinyddol y Gymdeithasfa am amser. Ym 1954, flwyddyn ar ôl cyhoeddi'r gyntaf o gyfrolau cofiant Freud, mewn cyfarfod yn Abertawe, fe roes Prifysgol Cymru radd Doethur mewn Gwyddoniaeth er anrhydedd iddo, ond bu'n rhaid iddo aros bron hyd at amser ei farwolaeth cyn iddo gael ei ddyrchafu yn gymrodor o Goleg y Brifysgol, Llundain.

Ym 1956, pan oedd yn ddwy ar bymtheg a thrigain mlwydd oed datblygodd gancr o'r bledren ddŵr, ond yn fuan ar ôl iddo ymdael â'r ysbyty, teithiodd, gyda'i wraig, i'r Unol Daleithiau er mwyn dathlu canmlwyddiant geni Freud. Er cymaint ei boenau, ymgymerodd â'r rhan fwyaf o'r dyletswyddau a drefnwyd ar ei gyfer, gan gynnwys y tair darlith goffa a draddododd, a chan synnu'r rhai a gyfarfu ag ef â'i egni diddiwedd. Daeth yn ôl i Lundain i arwain dathliadau'r canmlwyddiant yno, ac ailadroddodd ddwy o'r darlithiau, darlledodd sgwrs ar Freud, ac ef a ddadorchuddiodd y plac a osodwyd ar y tŷ lle bu Freud yn byw yn Llundain. Flwyddyn yn ddiweddarach, ym 1957, cafodd ail ymosodiad o ddolur y galon, ond o fewn dau fis, yr oedd ym Mharis yn y Gyngres Ryngwladol ac yno yr oedd yn egnïol ddigon. O fewn misoedd, daeth yn amlwg ei fod yn dioddef o gancr yr afu, a bu farw ar Chwefror 11, 1958, yn bedair ar bymtheg a thrigain mlwydd oed, a llosgwyd ei weddillion yn Amlosgfa Golders Green. Wedi hynny dodwyd ei ludw i orwedd ar fedd ei ferch yng nghladdfa Eglwys Cheriton, ym mro Gŵyr.

* * * *

Y mae'n debyg i syniadau'r Athro Freud ddylanwadu'n fwy ar deithi meddwl dyn yn yr ugeinfed ganrif na syniadau unrhyw unigolyn arall. Yr oedd cyfraniad Jones i'r gwaith o ledaenu gwybodaeth am gyfraniadau Freud yn allweddol. Er mwyn sefydlu'r mudiad seicdreiddiol ar raddfa ryngwladol, yr oedd angen llawer iawn mwy nag athrylith Freud, ac ar y cyfan digon tila eu gallu gweinyddol oedd y rhan fwyaf o'r seicdreiddwyr cynharaf. Felly, yr oedd cael rhywun â doniau Jones wrth law yn gaffaeliad o'r pwysigrwydd mwyaf i'r mudiad. Wrth iddo gael ei ddarbwyllo mor gynnar yn ystod ei yrfa o fodolaeth a dylanwad yr isymwybod, ac oherwydd ei gysylltiadau â Freud o 1908 ymlaen, tyfodd ei deyrngarwch digyfaddawd i seicdreiddiaeth, a bu ôl ei waith yn drwm ar dwf y

to spend twenty-one years in that office. He was elected Honorary President, and took an active interest in the work of the Association's executive committee for some time. In 1954, a year after the publication of the first volume of Freud's biography, at a convocation held in Swansea, the University of Wales awarded him the honorary degree of Doctor of Science, but he had to wait almost until the time of his death before being honoured with the fellowship of University College, London.

In 1956, when he was seventy-seven years of age, he developed cancer of the bladder, but shortly after leaving hospital he travelled with his wife to the United States to celebrate the centenary of Freud's birth. In spite of the severity of his pain, he undertook most of the tasks arranged for him, including the delivery of the three commemorative lectures, and he surprised those who met him with his endless energy. He returned to London to lead the centenary celebrations there, to repeat two of the lectures, and to broadcast a talk on Freud, and it was he who unveiled the plaque on the wall of the house where Freud had lived in London. A year later, in 1957, he suffered a second attack of coronary thrombosis, but within two months he was in Paris for the International Congress, where he was his usual energetic self. Within some months, it became obvious that he was suffering from cancer of the liver, and he died on the 11th February, 1958, at seventy-nine years of age. He was cremated at Golders Green Crematorium, and his ashes were later laid on his daughter's grave at Cheriton, Gower.

* * * *

It seems that Professor Freud's ideas have influenced thinking in the twentieth century to a greater extent than have those of any other individual. Jones's contribution to the task of spreading knowledge about Freud's work was crucial. To establish the psychoanalytical movement on an international scale required considerably more than the genius of Freud, and on the whole, the administrative ability of most of the early psychoanalysts was weak enough. Therefore, to have at hand someone of Jones's talents was an acquisition of the greatest importance to the movement. As a result of his having become convinced so early in the course of his career of the existence and importance of the unconscious, and of his connection with Freud from 1908 onwards, his uncompromising loyalty to

mudiad. Goresgynnodd yr holl amhoblogrwydd a ddaeth i'w ran yn gynharach, ac fe all fod a wnelo'r ystwythder a'i galluogodd i wneud hynny â'i lwyddiant fel seicdreiddiwr. Oherwydd y cyfuniad anhygoel o'r egni a feddai, ei argyhoeddiad dwfn am holl-bwysigrwydd ei waith, a'i groengaledwch yn wyneb pob beirniadaeth a wnaed ar ei waith, datblygodd agwedd a ymylai ar fod yn efengylaidd ei natur tuag at seicdreiddiaeth.

Oddi ar ei amser ef, trawsnewidiwyd triniaeth doluriau seiciatregol yn fwyaf gan y defnydd a wneir yn awr o gyffuriau ac o dechnegau datgyflyru, sydd yn effeithiol ond heb fod mor gostus â seicdreiddiaeth, ond na hawlir amdanynt eu bod yn trawsnewid personoliaeth yn y ffordd a wneir gan seicdreiddiaeth. Eithriad prin fyddai i seicdreiddiwr cyfoes ddefnyddio'r ffyrdd newydd hyn wrth drin ei gleifion, ond fe gred rhai seiciatregwyr y byddai Freud ei hunan wedi derbyn y defnydd a wneir o gyffuriau petaent wedi bod ar gael hanner canrif a mwy yn gynt. Yn yr un ffordd, y mae o leiaf yn bosibl y byddai Jones, oherwydd dylanwad ei gefndir meddygol, wedi eu derbyn fel datblygiad pwysig na ellid ei hepgor. Ond ni fyddai ef yn defnyddio unrhyw driniaeth ar wahân i'r dechneg seicdreiddiol safonol ac uniongred wrth ei waith clinigol, ac er mai wrth ddefnyddio hypnosis y cafodd ei brofiad cynharaf yn y maes, fe'i rhoes heibio wrth iddo ddarganfod gwaith Freud.

Ni ddyfeisiodd unrhyw driniaethau newydd ei hunan, ac er cymaint ei lwyddiant fel therapydd, nid oherwydd ei waith clinigol y cofir am Ernest Jones erbyn hyn. Fel golygydd, trefnydd a gweinyddwr, cafodd ddylanwad eang ar ddatblygiad seicdreiddiaeth trwy'r byd, ac ar y gyfundrefn a grëwyd trwy gyfrwng y Gymdeithasfa Ryngwladol. Onibai am ei waith egnïol yn Unol Daleithiau'r America y mae'n debyg na fyddai seicdreiddiaeth wedi llwyddo i flodeuo yno i'r fath raddau. Yn sicrach fyth, onibai iddo ddychwelyd i Lundain, byddai'r gorchwyl arwrol o sefydlu seicdreiddiaeth yno wedi ei lesteirio am gryn amser, oherwydd ni chododd neb yno a oedd yn agos at ei safle ef am flynyddoedd lawer wedi iddo ef ddychwelyd o Ganada. Enillodd fri fel siaradwr a ddarlithiai'n gyson nid yn unig i'w fyfyrwyr, ond i feddygon ac i unrhyw gynulleidfa arall a fyddai'n fodlon rhoi gwrandawiad iddo; ond erys y Gymdeithas a'r Sefydliad Seicdreiddiol a'i gyhoeddiadau

psychoanalysis grew considerably, and his work greatly influenced the growth of the movement. He was able to overcome the unpopularity that had come his way earlier, and it could be that there was a connection between the resilience which enabled him to do this and his success as a psychoanalyst. Because of the unbelievable combination of the energy which he possessed, his deep conviction of the all-important nature of his work, and his unsubmissive attitude in the face of every criticism made of him, he developed an attitude towards psychoanalysis which bordered on being evangelical in its nature.

Since his time, the treatment of psychiatric conditions has been transformed mainly with the use that is made of drugs and of behaviour therapy techniques, which are effective without being as costly as psychoanalysis, but for which claims are not made that they have the transforming effects on personality that is claimed for psychoanalysis. It would be exceptional for a contemporary psychoanalyst to use these new techniques in treating patients, but some psychiatrists believe that Freud would have accepted the use of drugs had they been available half a century and more ago. In the same way, it is at least possible that because of the influence of his medical training, Jones might have accepted them as an important and indispensable development. But he himself did not use any other treatment in his clinical work apart from the standard and orthodox psychoanalytical technique, and although it was by using hypnosis that he got his first experience in the field, he set it aside on discovering Freud's work.

He did not devise any new treatments, and in spite of his success as a therapist, it is not because of his clinical work that Ernest Jones is remembered today. As an editor, organiser and administrator, he greatly influenced the development of psychoanalysis throughout the world, and the system that was created by means of the International Association. Apart from his energetic work in the United States of America, it is likely that psychoanalysis would not have succeeded in flourishing there to such a great extent. More certainly, had he not returned to London, the heroic task of establishing psychoanalysis there would have been hindered for a considerable time, as no one who came near to his status became established there for many years after he had returned from Canada. He became well-known as a speaker who lectured regularly, not only to his students, but to doctors and to any other groups of people who were prepared to hear him. But the Psychoanalytical Society, the

niferus fel ei gyfraniad mwyaf parhaol i seicdreiddiaeth. Nid oes ar ei gyhoeddiadau lawer o ôl gwaith ymchwil gwreiddiol, ond ni ellid disgwyl hynny gan mai ymgais ydynt at esbonio damcaniaethau Freud, ac y mae Jones yn llwyr deilyngu'r enw a gafodd fel esboniwr eglur a medrus.

Er cymaint yr anawsterau a gwyd am na ellir rhoi prawf gwrthrychol ar ddamcaniaethau Freudaidd, fe fyddai modd cymharu effeithiau triniaeth seicdreiddiol a chanlyniadau triniaethau seiciatregol eraill. Ar y cyfan, bu seicdreiddwyr yn anfodlon derbyn fod angen astudiaethau o'r math hwn, gan gredu fod gwaith Freud a rhai o'i olynwyr wedi llwyr gadarnhau lle seicdreiddiaeth fel cyfundrefn driniaethol. At hyn, datblygwyd mathau eraill o driniaeth sydd heb fod mor ddrud a lle mae canlyniadau'r driniaeth i'w gweld llawer yn gynt. Eto, cafwyd newid pwyslais mewn gwaith ymchwil seiciatregol a seicolegol a gododd o'r gred mai prin y gellid disgwyl i un gyfundrefn ddamcaniaethol egluro holl ffenomenau seicoleg normal ac annormal. Felly, fe aed tipyn ymhellach at gyflawni bwriad Freud o wahaniaethu seicdreiddiaeth wrth feddygaeth, ac ni fyddai Ernest Jones wedi bod ar ei ben ei hun wrth gredu i'r ddwy wyddor fod ar eu colled oherwydd hyn.

* * * *

Ofer fyddai ceisio holi pa fath yrfa a fyddai wedi dod i ran Ernest Jones onibai am ddylanwad Sigmund Freud. Y mae'n eglur y byddai wedi gwneud gwaith ymchwil disglair mewn rhyw arbenigaeth feddygol, ac y mae'n weddol sicr mai'r astudiaeth o ddoluriau organaidd yr ymennydd (niwroleg) a fyddai wedi mynd â'i fryd. Wrth gydnabod mai Freud a roes iddo'r cyfle i flodeuo ac i gyfrannu yn y ffordd unigryw a wnaeth, ni ellir ond cofio mai ei ddawn fwyaf oll oedd ei allu digamsyniol i dynnu sylw at waith Sigmund Freud. Y mae'n debyg mai'r ganmoliaeth fwyaf y byddai ef wedi ei chwennych oedd honno a roddwyd iddo yn ei angladd gan y Dr. D. W. Winnicott, a oedd ar yr adeg honno yn llywydd y Gymdeithas Seicdreiddiol Brydeinig ('fy nghymdeithas addawol i') pan ddywedodd fod Jones wedi bod nid yn unig yn barod ond yn falch i gydweithio â gŵr a oedd ym mhob ffordd yn fwy nag ef ei hun.

Institute of Psychoanalysis, and his many publications stand as his most permanent contributions to psychoanalysis. His published works do not show much evidence of original research work, but that was not to be expected as they represent an attempt to interpret Freudian theory, and Jones fully deserves the name which he got as a lucid and skilful commentator.

In spite of the difficulties which arise from not being able objectively to test Freudian theory, it would be possible to compare the effects of psychoanalytical treatment and those of other psychiatric treatments. On the whole, psychoanalysts have been reluctant to accept that studies of this kind are necessary, as they believe that the work of Freud and some of his followers has fully affirmed the role of psychoanalysis as a treatment regime. In addition, there have been developed rather less expensive forms of treatment in which the results are seen far sooner. Again, there has occurred a change of emphasis in psychiatric and psychological research work which has arisen from the belief that it could hardly be expected that one theoretical system could explain all the phenomena of normal and abnormal psychology. Thus, Freud's intention of separating psychoanalysis from medicine is now nearer to being achieved, and Ernest Jones would not have been alone in believing that both disciplines are the poorer for this.

* * * *

It would be pointless to ask what sort of a career Ernest Jones might have had had it not been for Sigmund Freud's influence. It is clear that he would have carried out brilliant research work in some medical specialty, and it is fairly certain that the study of organic brain disease (neurology) would have been his choice. In recognising that it was Freud who gave him the opportunity to flourish and to contribute in the unique way in which he did, it cannot but be remembered that his greatest talent of all was his undoubted ability to draw attention to Sigmund Freud's work. It seems likely that the greatest tribute he would have wished for would have been that given to him at his funeral by Dr. D. W. Winnicott, who was at that time President of the British Psychoanalytical Society ('my promising society'), who said of Jones that he had been not only willing but glad to work with another man who was in every way greater than himself.

LLYFRYDDIAETH FER
A SHORT BIBLIOGRAPHY

Cofnodion a Chyfansoddiadau Eisteddfod Genedlaethol 1924. Cymdeithas yr Eisteddfod Genedlaethol, 24–58.

Committee Records (1903): Queen Elizabeth Hospital for Children.

FEDERN, E. and NUNBERG, H. (eds.) (1962): *Minutes of the Vienna Psychoanalytical Society*, volumes 1–3. New York: International Universities Press, Inc.

GLAMORGAN ARCHIVE SERVICE: 1879 and 1883 Electors Registers.
Glamorgan County Council—Reports of Organising Agent, 1895–7.

GREENLAND, Cyril (1961): Ernest Jones in Toronto, Part 1. *Canadian Psychiatric Association Journal*. 6, 3, 132–39.

GREENLAND, Cyril (1966): part 2, ibid., 11, 6, 512–9.

HALE, Nathan G. (ed.) (1971): *James Jackson Putnam and Psychoanalysis*. Cambridge, Mass.: Harvard University Press.

International Journal of Psychoanalysis (1958): funeral addresses, XXXIX, 5, 298–317.

JONES, Ernest (1950): *Papers on Psychoanalysis*. 5th edition. London: Baillière.

JONES, Ernest (1953–57): *Sigmund Freud: Life and Work*, volumes 1–3. London: The Hogarth Press.

JONES, Gwent (1956): At Home at Tŷ Gwyn. *Gower*, IX, 54–5.

JONES, Gwent (1958): Ernest Jones. *Llandovery School Journal*.

JONES, Kitty Idwal (1976): The Enigma of Morfydd Owen. *Cerddoriaeth Cymru*, 5, 1, 9–21.

JONES PAPERS, The. Institute of Psychoanalysis, London.

LEWIS, Saunders (1927): *Williams Pantycelyn*. Llundain: Foyles.

ROAZEN, Paul (1975): *Freud and his followers*. New York: Knopf.

SCHMIDEBERG, Melitta (1971): A Contribution to the History of the Psychoanalytical Movement in Great Britain. *British Journal of Psychiatry*, 118, 61–8.

TRITSCHLER, Gilbert (1963): Morfydd Owen—a Biography. National Library of Wales (unpublished manuscript).